1781

Von Siegfried Lenz erschienen

Romane:
Es waren Habichte in der Luft, 1951
Duell mit dem Schatten, 1953
Der Mann im Strom, 1957
Brot und Spiele, 1959
Stadtgespräch, 1963
Deutschstunde, 1968

Erzählungen:
Jäger des Spotts, 1958
Das Feuerschiff, 1960
Lehmanns Erzählungen, 1964
Der Spielverderber, 1965
Leute von Hamburg, 1968
Gesammelte Erzählungen, 1970

Szenische Werke:
Zeit der Schuldlosen, 1962
Das Gesicht, 1964
Haussuchung, 1967
Die Augenbinde, 1970

Essays:
Beziehungen, 1970

Ein Kinderbuch:
So war das mit dem Zirkus, 1971

SIEGFRIED LENZ

So zärtlich war Suleyken

MASURISCHE GESCHICHTEN

Zeichnungen von Erich Behrendt

HOFFMANN UND CAMPE

12. Auflage, 101. bis 125. Tausend 1973

Umschlag Werner Rebhuhn,
unter Verwendung der Zeichnungen von Erich Behrendt
Gesetzt aus der Borgis Janson-Antiqua
Gesamtherstellung:
Kleins Druck- und Verlagsanstalt, Lengerich
ISBN 3-455-04236-8. Printed in Germany

Inhalt

DIE ERSTE
DER MASURISCHEN GESCHICHTEN

Der Leseteufel

Hamilkar Schaß, mein Großvater, ein Herrchen von, sagen wir mal, einundsiebzig Jahren, hatte sich gerade das Lesen beigebracht, als die Sache losging. Die Sache: darunter ist zu verstehen ein Überfall des Generals Wawrila, der unter Sengen, Plündern und ähnlichen Dreibastigkeiten aus den Rokitno-Sümpfen aufbrach und nach Masuren, genauer nach Suleyken, seine Hand ausstreckte. Er war, hol's der Teufel, nah genug, man roch gewissermaßen schon den Fusel, den er und seine Soldaten getrunken hatten. Die Hähne von Suleyken liefen aufgeregt umher, die Ochsen scharrten an der Kette, die berühmten Suleyker Schafe drängten sich zusammen - hierhin und dorthin: worauf das Auge fiel, unser Dorf zeigte mannigfaltige Unruhe und wimmelnde Aufregung - die Geschichte kennt ja dergleichen.

Zu dieser Zeit, wie gesagt, hatte sich Hamilkar Schaß, mein Großvater, fast ohne fremde Hilfe die Kunst des Lesens beigebracht. Er las bereits geläufig dies und das. Dies: damit ist gemeint ein altes Exemplar des Masuren-Kalenders mit vielen Rezepten zum Weihnachtsfest; und das: darunter ist zu verstehen das Notizbuch eines Viehhändlers, das dieser vor Jahren in Suleyken verloren hatte. Hamilkar Schaß las es wieder und wieder, klatschte dabei in die Hände, stieß, während er immer neue Entdeckungen machte, sonderbar dumpfe Laute des Jubels aus, mit einem Wort: die tiefe Leidenschaft des Lesens hatte ihn erfaßt. Ja, Hamilkar Schaß war ihr derart verfallen, daß er sich in ungewohnter Weise vernachlässigte; er gehorchte nurmehr einem Gebieter, welchen er auf masurisch den »Zatangä Zitai« zu nennen pflegte, was soviel heißt wie Leseteufel, oder, korrekter, Lesesatan.

Jeder Mann, jedes Wesen in Suleyken war von Schrecken und Angst geschlagen, nur Hamilkar Schaß, mein Großvater, zeigte sich von der Bedrohung nicht berührt; sein Auge leuchtete, die Lippen fabrizierten Wort um Wort, dieweil sein riesiger Zeigefinger über die Zeilen des Masuren-Kalenders glitt, die Form einer Girlande nachzeichnend, zitternd vor Glück.

Da kam, während er so las, ein magerer, aufgescheuchter Mensch herein, Adolf Abromeit mit Namen, der zeit seines Lebens nicht mehr gezeigt hatte als zwei große rosa Ohren. Er trug eine ungeheure Flinte bei sich, trat, damit fuchtelnd, an Hamilkar Schaß heran und sprach folgendermaßen:

»Du tätest«, sprach er, »Hamilkar Schaß, gut daran, deine Studien zu verschieben. Es könnte sonst, wie die Dinge stehen, leicht sein, daß der Wawrila mit dir seine Studien treibt. Nur, glaube ich, wirst du nachher zerplieserter aussehen als dieses Buch.«

Hamilkar Schaß, mein Großvater, blickte zuerst erstaunt, dann ärgerlich auf seinen Besucher; er war, da die Lektüre ihn stets völlig benommen machte, eine ganze Weile unfähig zu einer Antwort. Aber dann, nachdem er sich gefaßt hatte, erhob er sich, massierte seine Zehen und sprach so: »Mir scheint«, sprach er, »Adolf Abromeit, als ob auch du die Höflichkeit verlernt hättest. Wie könntest du mich sonst, bitte schön, während des Lesens stören.« - »Es ist«, sagte Abromeit, »nur von wegen Krieg. Ehrenwort. Wawrila, dem Berüchtigten, ist es in den Sümpfen zu langweilig geworden. Er nähert sich unter gewöhnlichsten Grausamkeiten diesem Dorf. Und weil er, der schwitzende Säufer, schon nah genug ist, haben wir beschlossen, ihn mit unseren Flinten nüchtern zu machen. Dazu aber, Hamilkar Schaß, brauchen wir jede Flinte, die deine sogar besonders.«

»Das ändert«, sagte Hamilkar Schaß, »überhaupt nichts. Selbst ein Krieg, Adolf Abromeit, ist keine Entschuldigung für Unhöflichkeit. Aber wenn die Sache, wie du sagst, arg steht, könnt ihr mit meiner Flinte rechnen. Ich komme.«

Hamilkar Schaß küßte seine Lektüre, verbarg sie in einem feuerfesten Steinkrug, nahm seine Flinte und lud sich ein gewaltiges Stück Rauchfleisch auf den Rücken, und dann traten sie beide aus dem Haus. Auf der Straße galoppierten einige der intelligenten Suleyker Schimmel vorbei, herrenlos, mit vor Furcht weitgeöffneten Augen, Hunde winselten, Tauben flohen mit panisch klatschendem Flügelschlag nach Norden - die Geschichte kennt solche Bilder des Jammers.

Die beiden bewaffneten Herren warteten, bis die Straße frei war, dann sagte Adolf Abromeit: »Der Platz, Hamilkar Schaß, auf dem wir kämpfen werden, ist schon bestimmt. Wir werden, Gevatterchen, Posten in einem Jagdhaus beziehen, das dem nachmaligen Herrn Gonsch von Gonschor gehörte. Es ist etwa vierzehn Meilen entfernt und liegt an dem Weg, den Wawrila zu nehmen gezwungen ist.« - »Ich habe«, sagte mein Großvater, »keine Einwände.«

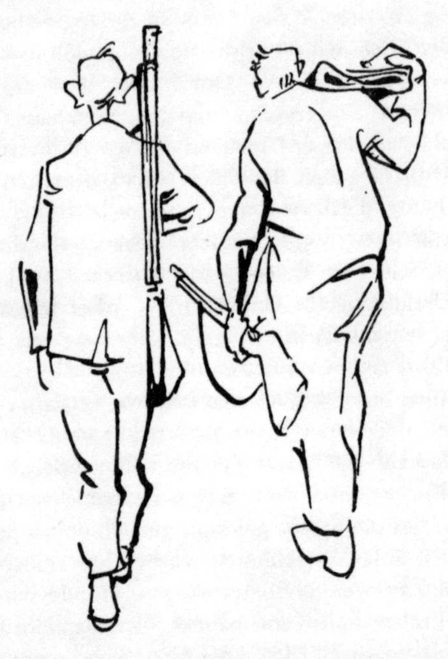

So begaben sie sich, nahezu wortlos, zu dem soliden Jagdhaus, richteten es zur Verteidigung ein, schnupften Tabak und bezogen Posten. Sie saßen, durch dicke Bohlen geschützt, vor einer Luke und beobachteten den aufgeweichten Weg, den Wawrila zu nehmen gezwungen war.

Sie saßen so, sagen wir mal, acht Stunden, als dem Hamilkar Schaß, der in Gedanken bei seiner Lektüre war, die Zehen derart zu frieren begannen, daß selbst Massage nicht mehr half. Darum stand er auf und sah sich um, in der Hoffnung, etwas zu finden, woraus sich ein Feuerchen machen ließe. Er zog hier was weg und da was, kramte ein bißchen herum, prüfte, ließ fallen, und während er das tat, entdeckte er, hol's der Teufel, ein Buch, ein hübsches, handliches Dingchen. Ein Zittern durchlief seinen Körper, eine heillose Freude rumorte in der Brust, und er lehnte hastig, wie ein Süchtiger, die Flinte an einen Stuhl, warf sich, wo er stand, auf die Erde und las. Vergessen war der Schmerz der Kälte in den Zehen, vergessen war Adolf Abromeit an der Luke und Wawrila aus den Sümpfen: Der Posten Hamilkar Schaß existierte nicht mehr.

Unterdessen, wie man sich denken wird, tat die Gefahr das, was sie so besonders unangenehm macht: sie näherte sich. Näherte sich in Gestalt des Generals Wawrila und seiner Helfer, die, sozusagen fröhlich, den Weg heraufkamen, den zu nehmen sie gezwungen waren. Dieser Wawrila, ach Gottchen, er sah schon aus, als ob er aus den Sümpfen käme, war unrasiert, dieser Mensch, und hatte eine heisere Flüsterstimme, und natürlich besaß er nicht, was jeder halbwegs ehrliche Mensch besitzt - Angst nämlich. Kam mit seinen besoffenen Flintenschützen den Weg herauf und tat, na, wie wird er getan haben: als ob er der Woiwode von Szczyli-

pin selber wäre, so tat er. Dabei hatte er nicht mal Stiefel an, sondern lief auf Fußlappen, dieser Wawrila.
Adolf Abromeit, an der Luke auf Posten, sah die Sumpfbagage herankommen; also spannte er die Flinte und rief:
»Hamilkar Schaß«, rief er, »ich hab' den Satan in der Kimme.« Hamilkar Schaß, wen wird es wundern, hörte diesen Ruf nicht. Nach einer Weile, Wawrila war keineswegs dabei stehengeblieben, rief er abermals: »Hamilkar Schaß, der Satan aus dem Sumpf ist da.« - »Gleich«, sagte Hamilkar Schaß, mein Großvater, »gleich, Adolf Abromeit, komme ich an die Luke, und dann wird alles geregelt, wie sich's gehört. Nur noch das Kapitelchen zu Ende.«
Adolf Abromeit legte die Flinte auf den Boden, legte sich dahinter und visierte und wartete voller Ungeduld. Seine Ungeduld, um nicht zu sagen: Erregung, wuchs mit jedem Schritt, den der General Wawrila näher kam. Schließlich, sozusagen am Ende seiner Nerven angekommen, sprang Adolf Abromeit auf, lief zu meinem Großvater, versetzte ihm - jeder Verständige wird's verzeihen - einen Tritt und rief: »Der Satan Wawrila, Hamilkar Schaß, steht vor der Tür.« - »Das wird«, sagte mein Großvater, »alles geregelt werden zur Zeit. Nur noch, wenn ich bitten darf, die letzten fünf Seiten.« Und da er keine Anstalt machte, sich zu erheben, lief Adolf Abromeit allein vor seine Luke, warf sich hinter die Flinte und begann dergestalt zu feuern, daß ein Spektakel entstand, wie sich nie-

mand in Masuren eines ähnlichen entsinnen konnte. Wiewohl er keinen von der Sumpfbagage hinreichend treffen konnte, zwang er sie doch in Deckung, ein Umstand, der Adolf Abromeit äußerst vorwitzig und waghalsig machte. Er trat offen vor die Luke und feuerte, was die ungeheure Flinte hergab; er tat es so lange, bis er plötzlich einen scharfen, heißen Schmerz verspürte, und als er sich, reichlich betroffen, vergewisserte, stellte er fest, daß man ihn durch eines seiner großen rosa Ohren geschossen hatte. Was blieb ihm zu tun? Er ließ die Flinte fallen, sprang zu Hamilkar Schaß, meinem Großvater, und diesmal sprach er folgendermaßen: »Ich bin, Hamilkar Schaß, verwundet. Aus mir läuft Blut. Wenn du nicht an die Luke gehst, wird der Satan Wawrila, Ehrenwort, in zehn Sekunden hier sein, und dann, wie die Dinge stehen, ist zu fürchten, daß er Druckerschwärze aus dir macht.«

Hamilkar Schaß, mein Großvater, blickte nicht auf; statt dessen sagte er: »Es wird, Adolf Abromeit, alles geregelt, wie es kommen soll. Nur noch, wenn ich bitten darf, zwei Seiten vom Kapitelchen.« Adolf Abromeit, eine Hand auf das lädierte Ohr gepreßt, sah sich schnell und prüfend um, dann riß er ein Fenster auf, schwang sich hinaus und verschwand im Dickicht des nahen Waldes.

Wie man vermuten wird: kaum hatte Hamilkar Schaß weitere Zeilen gelesen, als die Tür erbrochen ward, und wer kam hereinspaziert? General Zoch Wawrila. Ging natürlich gleich auf den Großvater zu, brüllte heiser und lachte, wie er das so

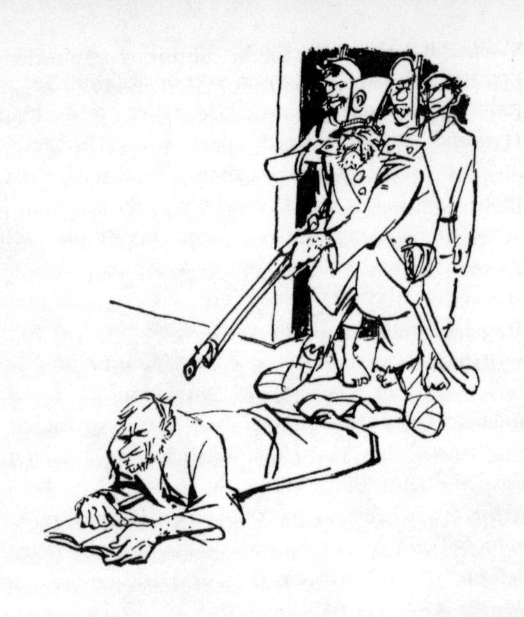

an sich hatte, und dann sagte er: »Spring auf meine Hand, du Frosch, ich will dich aufblasen.« Das war, ohne Zweifel, eine Anspielung auf seine Herkunft und seine Gewohnheiten. Doch Hamilkar Schaß entgegnete: »Gleich. Nur noch anderthalb Seiten.«

Wawrila wurde wütend und zog meinem Großvater eine über, und dann fühlte er sich bemüßigt, so zu sprechen: »Ich werde dich jetzt, du alte Eidechse, halbieren. Aber ganz langsam.«

»Eine Seite nur noch«, sagte Hamilkar Schaß. »Es sind, bei Gottchen, nicht mehr als fünfunddreißig Zeilen. Dann ist das Kapitelchen zu Ende.«

Wawrila, bestürzt, beinahe nüchtern geworden, lieh sich von einem hinkenden Menschen aus seiner Begleitung eine Flinte, drückte den Lauf auf den Hals des Hamilkar Schaß und sagte: »Ich werde dich, du stinkende Dotterblume, mit gehacktem Blei wegpusten. Schau her, die Flinte ist gespannt.«
»Gleich«, sagte Hamilkar Schaß. »Nur noch zehn Zeilen, dann wird alles geregelt werden, wie es sein soll.«
Da packte, wie jeder Kundige verstehen wird, Wawrila und seine Bagage ein solch unheimliches Entsetzen, daß sie, ihre Flinten zurücklassend, dahin flohen, woher sie gekommen waren - dahin: damit sind gemeint die besonders trostlosen Sümpfe Rokitnos.
Adolf Abromeit, der die Flucht staunend beobachtet hatte, schlich sich zurück, trat, mit seiner Flinte in der Hand, neben den Lesenden und wartete stumm. Und nachdem auch die letzte Zeile gelesen war, hob Hamilkar Schaß den Kopf, lächelte selig und sagte: »Du hast, Adolf Abromeit, scheint mir, etwas gesagt?«

DIE ZWEITE
DER MASURISCHEN GESCHICHTEN

Füsilier in Kulkaken

Kurz nach der Kartoffelernte erschien bei meinem Großvater, Hamilkar Schaß, der Briefträger und überbrachte ihm ein Dokument von ganz besonderer Bedeutung. Dies Dokument: es kam direkt von allerhöchster Stelle, wofür allein schon die Tatsache spricht, daß es unterschrieben war mit dem Namen Theodor Trunz. Es gab, Ehrenwort, wohl keinen Namen in Suleyken und Umgebung, der geeignet gewesen wäre, mehr Respekt, mehr Hochachtung, mehr Furcht, Schaudern und Ehrerbietung hervorzurufen, als Theodor Trunz. Hinter diesem Namen nämlich steckte niemand anderes als der Kommandant der berühmten Kulkaker Füsiliere, die, elf an der Zahl, jenseits der Wiesen in Garnison lagen. Der Ruf, der ihnen nicht nur voraus, sondern auch hinterher ging, war dergestalt, daß jeder, der in dieser Truppe die Ehre hatte zu dienen, unfehlbar in den Geschichtsbüchern Suleykens und Umgebung Aufnahme fand. Ganz zu schweigen von der mündlichen Überlieferung.

Gut. Hamilkar Schaß, mein Großvater, witterte in besagtem Dokument sofort eine neue ausgedehnte Lektüre, erbrach, wie man sagt, die Siegel und begann zu lesen. Und er las, während der Briefträger, Hugo Zappka, neben ihm stand, heraus, daß er im Augenblick und auf kürzestem Weg nach Kulkaken zu eilen habe - als Ersatz für den Oberfüsilier Johann Schmalz, der wegen allzu rapidem Zahnausfall hatte entlassen werden müssen. Und darunter, in riesigen Buchstaben: Trunz, Kommandant.

Hugo Zappka, der Briefträger, verbeugte sich, nachdem er alles vernommen hatte, vor meinem Großvater, beglückwünschte ihn aufrichtig und empfahl sich; und nachdem er gegangen war, zog mein Großvater seine alte Schrotflinte hervor, band sich ein Stück Rauchfleisch auf den Rücken, nahm langwierigen Abschied und schritt über die Wiesen davon.

Schritt forsch aus, das rüstige Herrchen, und gelangte alsbald zur Garnison der berühmten Kulkaker Füsiliere, welche dargestellt wurde durch ein schmuckloses, ungeheiztes Häuschen am Waldesrand. Der Posten, ein langer, verhungerter, mürrischer Mensch, hieß meinen Großvater nah herankommen, und als er unmittelbar vor ihm stand, schrie er: »Wer da?!« Worauf mein Großvater in ergreifender Schlichtheit antwortete: »Hamilkar Schaß, wenn ich bitten darf.« Sodann wies er das Dokument vor, schenkte dem Posten ein Stück Rauchfleisch und durfte passieren.

Na, er besah sich erst einmal alles von unten bis oben, inspizierte den ganzen Nachmittag, und plötzlich geriet er an eine Tür, hinter der eine Stimme zu hören war. Mein Großvater, er öffnete das Türchen, schob seinen Kopf hinein und gewahrte eine Anzahl Füsiliere, die gerade ergriffen einem Vortrag lauschten, welcher übergetitelt war:

Was tut und wie verhält sich der Kulkaker Füsilier, wenn der Feind flieht? Da er nach längerem Zuhören Interesse an dem Vortrag fand, mischte er sich unter die Lauschenden und blickte nach vorn.
Wer da vorn saß? Trunz natürlich, der Kommandant. War ein kleiner, schwarzer, jähzorniger Mensch, dieser Theodor Trunz, und außerdem trug er ein Holzbein. (Das richtige hatte er, wie er sich auszudrücken beliebte, dem Vaterland in den Schoß geworfen.) Jedenfalls: er war, alles in allem, ein ungewöhnlicher Mensch, schon aus dem Grunde, weil er sein Holzbein bei den taktischen Vorträgen abzuschnallen pflegte und damit die vor den Kopf stieß, die einzuschlafen drohten.
Also Hamilkar Schaß, mein Großvater, kam hier herein und wollte es sich gerade gemütlich machen, als Trunz seinen Vortrag abbrach und, nach erprobter Gewohnheit, Fragen stellte zum Zwecke der Wiederholung. Fragte er also zum Beispiel einen üppigen Füsilier in der ersten Reihe: »Was wird«, fragte er, »getan, wenn der Feind sich anschickt zu fliehen?«
»Lauschen und abwarten von wegen heimlichem Hinterhalt«, kam die Antwort.
»Richtig«, sagte Trunz, überlegte rasch und rief: »Und wie ist es bei Nahrung? Darf man essen zurückgelassene Nahrung?«
»Man darf«, rief ein anderer Füsilier, »aber nur Eingemachtes. Anderes könnte sein unbekömmlich.«
»Auch richtig«, sprach Trunz. »Aber wie verhält

es sich mit Büchern? Du da, in der letzten Reihe. Was würdest du machen mit den Büchern?«
Mein Großvater, dem die Frage galt, sah sich zunächst um, weil er glaubte, hinter ihm säße noch jemand. Es war jedoch niemand da, und darum sagte er: »Ich würde schnell lesen und dann dem Feind einheizen mit der Flinte.«
Diese Antwort, aus argloser Leidenschaft gegeben, rief, wie man sich denken kann, den Jähzorn des Theodor Trunz hervor; er schwang jachrig das Holzbein, fuchtelte damit herum, wurde rein tobsüchtig, dieser Mensch. Dann rief er meinen Großvater nach vorn und schrie: »Wer, zum Teufel, bist du?«
»Ich bin«, sagte mein Großvater, »Hamilkar Schaß. Und ich möchte zunächst um Höflichkeit bitten von Füsilier zu Füsilier.«
Na, jetzt kam Theodor Trunz nahezu um den Verstand, wurde abwechselnd weiß, blau und rot im Gesicht, fast hätte man sich sorgen können um ihn.
Schließlich schnallte er sein Holzbein an, schrie: »Der Feind ist da!« und jagte seine Füsiliere auf den Hinterhof. Und jetzt ging es los: winkte sich zuerst Hamilkar Schaß, meinen Großvater, heran und rief: »Füsilier Schaß«, rief er, »der Feind ist hinter der Scheune. Was mußt du tun?«
»Ich fühle mich«, sagte mein Großvater, »unpäßlich heute. Auch war der Weg über die Wiesen nicht sehr angenehm.«
»Dann zeig mal«, schrie Trunz, »wo überall ein Füsilier kann Deckung finden. Aber schnell, wenn ich bitten darf.«

»Das ergibt sich«, sagte mein Großvater, »von Fall zu Fall.«
»Zeigen sollst du uns das«, schrie Trunz und wurde rein verrückt.
»Eigentlich«, sagte mein Großvater, »möchte ich jetzt ein wenig schlummern. Der Weg über die Wiesen war nicht sehr angenehm.«
Theodor Trunz, der Kommandant, warf sich jetzt auf die Erde, um Hamilkar Schaß, meinem Großvater, zu zeigen, worauf es ankäme. »So«, rief er, »so macht ein Füsilier.«
Mein Großvater beobachtete ihn eine Weile erstaunt und sprach dann: »Es sind«, sprach er, »nach Suleyken nur ein paar Stunden. Wenn ich jetzt gehe, bin ich noch zu Hause vor Mitternacht.«
Darauf wurde Theodor Trunz zunächst einmal von einem Schreikrampf heimgesucht, und zwar hallte sein Geschrei so eindringlich durch das Gehölz, daß sämtliches Wild floh und die Umgebung nachweislich mehrere Jahre mied. Dann aber kam er allmählich zu sich, blinzelte umher, riskierte ein unsicheres Lächeln und verkündete den Befehl: »Feind tot« - worauf die Füsiliere mit einer gewissen Erleichterung der Garnison zustrebten.
Auch Hamilkar Schaß, mein Großvater, strebte ihr zu, suchte sich ein Kämmerchen, ein Bett und legte sich nieder zum Schlummer. Schlummerte vielleicht so vier Stunden, als eine Trompete gegen sein Ohr blies, was ihn dazu bewog, auf seine Taschenuhr zu blicken und sich, bei der Feststellung, daß Mitternacht erst gerade vorbei war, wieder hinzulegen. Gelang ihm auch, dem Großväterchen, wie-

der einzudruseln, als die Tür aufgerissen wurde, der Kommandant hereinstürzte und schrie: »Es ist, Füsilier Schaß, gegeben worden Alarm!«
»Der Alarm«, sagte mein Großvater, »ist gekommen zur unrechten Zeit. Könnte man ihn nicht, bitte schön, nach dem Frühstück geben?«
»Es handelt sich«, schrie Trunz, »um einen Alarm auf Schmuggler. Sie sind gesichtet worden an der Grenze. Zu *dieser* Zeit, nicht nach dem Frühstück.«
»Dann muß ich«, sagte Hamilkar Schaß, »auf den Alarm verzichten.«

Rollte sich auch gleich wieder in sein Deckchen und befand sich schon nach wenigen Atemzügen in lieblichem Schlummer. Schlummerte durch bis zum nächsten Morgen, frühstückte von seinem Rauchfleisch im Bett und ging dann hinunter, wo bereits ein taktischer Vortrag lief, übergetitelt: Was tut und wie verhält sich ein Kulkaker Füsilier, wenn er zu fangen hat Schmuggler? Trunz saß vorn und redete, und die Füsiliere lauschten ergriffen und voll verhaltenen Zornes - voll Zornes, weil sie seit sechsundzwanzig Jahren fast täglich Alarme hatten auf Schmuggler, aber noch nie einen von dieser Sorte fangen konnten. Das hörte Hamilkar Schaß, mein Großvater, und er stand einfach auf und wollte hinausgehen. Doch Trunz schrie gleich: »Füsilier Schaß, wohin?«

»An die frische Luft, wenn es beliebt«, sagte mein Großvater, »erstens möchte ich mir, wenn es genehm ist, die Beine vertreten, und zweitens möchte ich fangen ein paar Schmuggler.«

»Um Schmuggler zu fangen, Füsilier Schaß, müssen wir erst geben Alarm. Du wirst jetzt bleiben und anhören die Lehre von der Taktik. Jetzt ist Dienst.«

Worauf mein Großvater sagte: »Von Füsilier zu Füsilier: Jetzt sind die Haselnüsse soweit, und *mir* leckert, weiß der Teufel, so nach Haselnüssen. Ich werde mir schnell ein paar pflücken.«

Na, daraufhin war es wieder soweit: Theodor Trunz, der Kommandant, ließ sämtliche Füsiliere strammstehen und rief: »Hiermit wird gefragt der Füsilier Hamilkar Schaß, ob es ihm ein Bedürfnis ist, dem Vaterland zu dienen.«

»Es ist Bedürfnis«, sagte mein Großvater. »Aber erst einmal will ich Haselnüsse holen.«

»Dann«, rief Trunz »muß ich dem Füsilier Schaß geben den Befehl zu bleiben. Befehl ist Befehl.«
»Nach Suleyken«, drohte mein Großvater freundlich, »sind es nur vier Stunden. Wenn ich jetzt losgehe, bin ich noch zum Kaffee da.«
Und er verneigte sich vor dem erstaunten Trunz, streichelte, im Vorübergehen, einige der strammstehenden Füsiliere und ging hinaus. Ging, mein Großväterchen, in den Stall, suchte sich eine ausgestopfte Schafhaut und verließ mit ihr die Garnison. Er pflückte sich Haselnüsse, knackte so viele, wie er gerade begehrte, und näherte sich dabei der Grenze. Und als er nahe genug war, zog er sich die Schafhaut über den Körper, ließ sich auf alle viere hinab und mischte sich unter eine grasende Schafherde.
Die Schafe, sie waren nicht unfreundlich zu ihm, nahmen ihn in ihre Mitte, stupsten ihn kameradschaftlich und suchten eine Unterhaltung mit ihm - in die er sich, aus gegebenen Gründen, nicht einlassen konnte.
Gut. Er zuckelte mit den Schafen so eine ganze Zeit herum, als er, in der Dämmerung, unvermutet folgendes entdeckte: er entdeckte, wie sich zwei besonders schwerfällige Schafe von der Herde lösten und, in reichlich schaukelndem Gang, der Grenze zustrebten. Mein Großvater, er setzte ihnen wie übermütig nach, umsprang die beiden, stupste sie mit dem Kopf und neckte sie so anhaltend, bis er hörte, was er hören wollte. Er hörte nämlich, wie das eine Schaf zum andern sprach: »Hau«, sprach es, »diesem Lamm eins auf den

Dassel, sonst macht es mir noch die Flaschen kaputt.«
Jetzt, wie man ganz richtig erwartet, sprang mein Großvater auf, tat den beiden das, was sie mit ihm hatten tun wollen, fesselte sie vorn und hinten und trieb sie frohgemut zur Garnison. Summte ein Liedchen dabei und erschien gerade, als ein Kampfunterricht stattfand, welcher übergetitelt war: Wie sticht und wohin der Kulkaker Füsilier einen Schmuggler mit dem Seitengewehr?
Die Füsiliere, sie fielen fast in Ohnmacht, als sie Hamilkar Schaß, meinen Großvater, als summenden Hirten erlebten, der seine Schäfchen vor sich hertrieb. Und Trunz, der Kommandant, raste auf ihn zu und schrie: »Die Beschäftigung, Füsilier Schaß, mit Tieren während des Dienstes ist verboten.«
Worauf mein Großvater antwortete: »Eigentlich«, antwortete er, »möchte ich jetzt schlummern. Aber vorerst werd' ich sie häuten.«
Und er zog den schwanger aussehenden Schafen die Häute ab und brachte zwei ausgewachsene Schmuggler zum Vorschein, welche überdies beladen waren mit einer Anzahl Schnapsflaschen.
Muß ich noch viel mehr erzählen?
Nachdem der Jubel der Füsiliere sich gelegt hatte, trat Theodor Trunz, der Kommandant, an meinen Großvater heran, küßte ihn und sprach: »Du darfst jetzt, Brüderchen, schlummern, und wenn du aufwachst, dann ist der Füsilier Schaß tot. Leben wird der Unterkommandant Schaß, ausgezeichnet mit der Kulkaker Ehrenspange für Höhere Füsiliere.“

»Zunächst«, sprach mein Großvater, »muß ich mir aber noch ein paar Haselnüsse holen.«
Übrigens blieb er bei den Kulkaker Füsilieren nicht bis zu seinem Tode; im Frühjahr verschwand er eines Tages zum Kartoffelpflanzen und kam nicht mehr zurück.

DIE DRITTE
DER MASURISCHEN GESCHICHTEN

Das war Onkel Manoah

Zum Markttag kam neuerdings auch ein Wanderfriseur nach Suleyken, ein kleiner vergnügter Mann, der den Leuten das Haar im Freien abnahm, mitten im Quieken der Ferkel, im heiseren Brummen der Ochsen, zwischen all den Gerüchen eines masurischen Marktes, zwischen dem erdigen Geruch nach neuen Kartoffeln und dem Gestank nach altem Kohl, zwischen dem scharfen Geruch nach Kisten und Bretterzeug, nach Fischen, Hafer und Terpentin, zwischen dem sanften Kalkgeruch ausgenommener Hühner und dem sauberen Duft nach Äpfeln und Mohrrüben. Zwischen all diesen Gerüchen und Geräuschen, in dieser hochschwangeren Luft, bediente der Wanderfriseur an einem trauten Herbstmorgen einen großen, schönen, schwarzhaarigen Mann, den schönen Alec, wie er genannt wurde, ein Wunder von Wuchs, auch wenn dieses Wunder barfuß ging.

Der Wanderfriseur hüpfte mit fleißiger Höflichkeit um ihn herum, unterhielt ihn auf das angenehmste, während seine Schere, lustig wie eine Schwalbe, über Alecs Ohren flatterte, hier und da ein Härchen schnappte, zart und schnell, und zum Schluß, wie sich's gehört, öffnete der Friseur ein kleines Fläschchen und tröpfelte eine Essenz auf Alecs Kinn. Sofort begann es in weitem Umkreis nach persischem Flieder zu duften, der Duft verdrängte all die Gerüche des Marktes, der Orient siegte über Masuren. »Erlauben Sie, bitte, daß ich

nun noch unter Ihre Jacke fahre«, sagte der Friseur, schob eine weiche Bürste unter den Kragen und strich mit den feinen Borsten über Alecs Haut, so daß sich dieser vor Behagen ein wenig krümmte; dann entfernte er mit berechnetem Schwung das Barbiertuch, sagte »Dank« und wartete auf Bezahlung.
Alec faßte in die Tasche, aber an Stelle von Geld zog er einen alten schmutzigen Brief heraus, entfaltete ihn vorsichtig und bat den Friseur zu lesen. »Es ist«, sagte Alec, »ein Brief meines Onkels Ma-

noah, Besitzer eines Schleppkahns, der heute nach Hause gekommen ist. Dreißig Jahre hat er sich über alle bekannten Ströme und Kanäle ziehen lassen, nun ist er, wie aus dem Brief hervorgeht, heimgekehrt, um hier zu sterben. Da ich der alleinige Erbe des Schleppkahns bin, werden Sie, ich bin sicher, mir das Geld bis heute abend stunden, ich bringe es Ihnen nach Ende des Marktes.«

Der Friseur vertiefte sich in den Brief, las ihn, als ob er in ein Geheimnis hineingezogen würde, mit dankbarer Andacht, reichte ihn nickend zurück und trat mit Alec an die Böschung, von wo aus sie den Fluß übersehen konnten. Da lag der Schleppkahn, ein breites, schwarzes Wesen, wohlvertäut, und auf dem Heck sahen sie einen großen hageren Mann mit grauem Stoppelhaar, das war Onkel Manoah. Er saß auf einer Kiste, sinnierte und trank zwischendurch Kaffee.

»Es wird mir«, sagte der Friseur, »ein Vergnügen sein, dem Erben dieses Schiffes die Bezahlung bis heute abend zu stunden. Allerdings könnte ich länger nicht warten.«

»Niemand«, sagte darauf Alec, »hat bisher Ursache gehabt, am Wort meines Onkels zu zweifeln. Am Abend werde ich der Besitzer des Schleppkahns sein, und dann regelt sich alles zum Besten.«

Die Männer verbeugten sich voreinander, und während der Friseur zu seinem Schemel zurückging, trug Alec die Düfte des Orients über den Markt spazieren, flanierte an Ständen und Wagen vorbei, beantwortete Grüße und wich aus, wenn auszuweichen ihm geraten schien.

Vor einer redseligen Fischfrau blieb er stehen, beugte sich zu den Körben hinab, in denen goldgelbe, geräucherte Maränen lagen, und da er Eindruck auf die Frau machte und sie es ihm nicht verwehrte, nahm er sich eine Maräne heraus, zog die Haut ab und aß von dem warmen, köstlichen Rückenfleisch.

»Diese Fische«, sagte er dann, »sind leidlich gut. Auf die Gefahr hin, enttäuscht zu werden, könnte ich es mit einem Kilochen, nicht zu knapp, versuchen.« Die Frau beeilte sich, seinem Wunsch zu entsprechen, legte zwei Maränen über das Kilo hinzu und reichte Alec das Päckchen hinüber. Aber anstatt zu zahlen, zog Alec wieder den Brief aus der Tasche, hieß die verwirrte Frau ihn lesen und trat mit ihr zur Böschung, von wo aus er ihr das wohlvertäute Erbe zeigte. »Heute abend«, sagte er, »werden Sie im Besitz Ihres Geldes sein, so wie ich im Besitz dieses Schleppkahns sein werde.«

Die Fischfrau zeigte sich anfangs zufrieden damit, aber plötzlich wurde sie argwöhnisch und fragte nach dem Mann auf dem Heck.

»Dieser Mann ist kein geringerer als mein Onkel Manoah«, sagte Alec, »der Mann, den ich zu beerben gedenke. Er ist hergekommen, nach dreißigjähriger Wanderschaft, um hier zu sterben.«

»Aber«, sagte die Frau, »wer garantiert mir, daß Gott ihn nicht länger leben läßt?«

»Dieser Einwand«, sagte Alec mit mildem Vorwurf, »ist unangebracht. Onkel Manoah ist nur heimgekehrt, um hier zu sterben. Seine Güte ist grenzenlos. Er wird mich nicht im Stich lassen.«

Mit solchen Worten beschwichtigte Alec die Maränenfrau und drängte sich, das fette Päckchen unterm Arm, an einen Eierstand heran. Hier gelang es ihm, mit Hilfe des Briefes und des Augenscheins, daß sein Erbe wirklich auf dem Fluß schwamm, ein Körbchen mit Eiern auszuhandeln, an einem anderen Stand ein nicht zu kleines Stück Rauchspeck, und nachdem er auch noch Käse, Kaffee, Äpfel und Butter erworben hatte, ging er zum Fluß hinunter und balancierte über den schmalen Laufsteg an Bord des Schiffes. Er ging auf das Heck zu Onkel Manoah, verneigte sich höflich vor ihm und breitete die Dinge, deren er hatte habhaft werden können, vor seinen Füßen aus.

»Ich bitte«, sagte er dann mit ausgestreckter Hand, »sich nach Laune zu bedienen. Die Maränen sind gut, der Speck leidlich verführerisch und die Äpfel angenehm herb. Willkommen daheim!«

»Das ist«, sagte Onkel Manoah, »eine gute Idee und eine anständige Begrüßung.« Seine Stimme klang wie eine anlaufende Kreissäge. Er schob die Kaffeetasse mit dem Fuß zur Seite und begann zu essen, und er aß sämtliche Maränen, den Käse und die Äpfel auf, dann briet er Speck, schlug acht Eier in die Pfanne und aß weiter, während Alec still zu seinen Füßen saß, mit einem Ausdruck unterwürfigen Respekts und vollkommener Dienstbarkeit. Und nachdem Onkel Manoah gegessen hatte, tranken sie mehrere Tassen Kaffee, langsam, ohne ein Wort zu sprechen, sie saßen stumm wie Vögel zusammen, und der Mittag kam heran und ging vorüber.

Erst als die letzte Tasse Kaffee getrunken war, sagte Onkel Manoah:

»Wie du siehst, Alec, bin ich gekommen.«

»Gekommen, um zu bleiben«, sagte Alec.

»Gekommen, um zu gehen«, verbesserte Onkel Manoah.

»Wir werden in der Dämmerung noch ein Täßchen trinken, und wenn der Mond kommt, werde ich mich aufmachen, dann gehört das Schiff dir. Du hast mich anständig begrüßt, du sollst ein anständiges Erbe bekommen.«

Sie saßen schweigend bis zur Dämmerung beisammen, dann kochte Manoah Kaffee, und beide tranken, und nachdem sie getrunken hatten, warf Manoah Tauwerk und Lappen in eine Ecke und setzte sich bequem hin. Er hielt den Mund geschlossen, und sein Atem drang summend durch die Nase, als ob in den Nasenlöchern zwei Fliegen säßen. Alec beobachtete unterdessen die Böschung, und er brauchte nicht lange zu warten, da erkannte er die Silhouette der Fischfrau und dann die des Friseurs, und schließlich bemerkte er fast alle Gläubiger, die auf dem Weg zu ihm und ihrem Geld waren. Alec versuchte bei diesem Anblick Zuflucht zu angenehmen Kindheitserinnerungen zu nehmen, aber es wollte ihm nicht recht gelingen. Die Gläubiger näherten sich unerbittlich, und er war immer noch nicht Besitzer dieses Schiffes, denn Onkel Manoah lebte, wie der Summton aus seiner Nase hinreichend verriet. In dieser Bedrängnis sah Alec zu Onkel Manoah hinüber, und in seinem Blick lag so viel kreatürliches Flehen, daß Manoah gespannt den runzligen, schuppigen Hals reckte - einen Hals wie Baumrinde -, er reckte den Hals und drehte ihn nach allen Seiten, und er schien zu begreifen, was vorgegangen war, denn er kannte Alec zur Genüge. Und er sagte: »Du, Alec«, sagte er, »hast keinen Grund, dich zu sorgen. Wir werden unseren Gläubigern jetzt ein Schnippchen schlagen, an das sie ihr Leben lang zu denken haben werden. Paß nur auf!« Und er erhob sich von dem Tauwerk, lehnte den riesigen Oberkörper in eine Ecke und winkte den Gläubigern zu, schnell herbeizukommen. Dann gab er Alec zu verstehen, die Leute auf den Kahn zu führen, höflich, wie es sich gehört, und Alec ging ihnen zitternd entgegen und sagte leise: »Nichts, meine Freunde betrübt mich mehr, als daß ich mein Versprechen nicht einhalten kann. Aber, Gott sei's geklagt, nicht einmal auf den Tod ist heutzutage noch Verlaß, mich trifft keine Schuld.«

Sodann half er den Gläubigern über den schmalen Laufsteg und hieß sie nach hinten gehen, wo Onkel Manoah in der Ecke lehnte, und sie versammelten sich in schweigender Anklage um Manoah, als erwarteten sie von ihm Aufklärung und Bezahlung. Zuletzt trat auch Alec hinzu, mit bangem Herzen, aber voll Vertrauen in Onkel Manoahs Listenreichtum, und er trat nah an ihn heran, tippte ihm auf die Schulter, und als Manoah sich nicht rührte, drehte er ihn vorsichtig um. Alle sahen, daß Onkel Manoah tot war, und sie bemerkten das triumphierende Lachen in seinem Gesicht, und die Scham machte sie unruhig und drängte sie zum Aufbruch.

Sie beeilten sich, von Bord zu kommen, und ihre Eile war aufrichtig.
Alec wandte sich, des Lobes voll, an Manoah und sagte wörtlich: »Manches, Onkel Manoah, habe ich in meinem Leben erfahren, aber noch nie, daß sich jemand so vollkommen tot stellen konnte. Die Gläubiger sind weg, die Gefahr ist vorüber, nichts hindert Euch, wieder lebendig zu werden und ein neues Täßchen Kaffee zu trinken.«
Aber Manoah, groß und starr, lehnte in der Ecke und bewegte sich nicht. Der schöne Alec begann ihn ängstlich abzutasten und zu untersuchen, hastig und mit ehrfurchtsvollem Erschrecken, und dann entdeckte er, daß Onkel Manoah wirklich gestorben war. Da verneigte sich Alec tief und flüsterte: »Auf solch ein Schnippchen, Onkelchen, wahrhaftig, war ich nicht gefaßt.«

DIE VIERTE
DER MASURISCHEN GESCHICHTEN

Der Ostertisch

Alec Puch, ein schöner gesunder Vater, hatte seine Brut auf einem Schleppkahn untergebracht, den ihm sein Onkel, ein riesiger Mensch namens Manoah, vererbt hatte. Die Brut: damit sind gemeint die drei zarten Söhne des Alec Puch, welche, wie er sich auszudrücken beliebte, redlich erworben waren. Ob redlich oder nicht - die drei zarten Menschen, Wunder an Anmut und Abrichtung, stammten alle von verschiedenen Müttern, ein Umstand, den man nur dadurch erklären kann, daß Alec Puch einst Gehilfe war bei einem wandernden Scherenschleifer. Und da er, aus verschiedenen Gründen, Kinder liebte, hatte er sie zu sich geholt. Allerdings, bitte sehr, ehrte er das Andenken der Mütter, indem er seine Söhne nach den Ortschaften rief, in denen sie die masurische Welt erblickt hatten. Diese Ortschaften hießen: Sybba, Schissomir und Quaken.

Seit geraumer Zeit also, wie gesagt, lebten die drei Knaben mit Alec Puch, ihrem schönen, gesunden Vater, auf dem Schleppkahn. Dieser Kahn sah aus - na, wie wird er ausgesehen haben: wie ein schwarzer Holzschuh voll Flöhe, so sah er aus. Hier wimmelte es, da bewegte sich was, hier roch es, da gab es piepsenden Laut: überall Interessantes, überall Neuigkeit und Abenteuer. Man aß angenehm, man

badete gelegentlich, man schlief unter dem milden Glucksen der Flußwellen bis in den späten Vormittag - das Paradies war niemals näher.
Eines Tages, gleich wird gesagt wann, erhob sich, während noch Nebel auf der Wiese lagen, ein nie gehörtes Gebrüll auf dem Vorschiff. Der da brüllte: es war Alec Puch höchstpersönlich. Er brüllte, fast wie im Schmerz, die Namen der zarten Knaben, und da sein Gebrüll den Trompeten von Jericho in nichts nachstand, flog die Brut aus den ererbten Hängematten und rannte augenreibend an Deck. Die Söhne stellten sich, in der Reihe der Ortschaften, die ihr Vater durchlaufen hatte, auf dem Achterschiff auf, fröstelten leicht und warteten auf den, der ihnen den Schlaf gestohlen hatte. Und plötzlich erschien er, ein schönes, gesundes Gesicht, rosige Backen, schwarze Haare, ein annehmbares Herrchen sozusagen, wenngleich dieses Herrchen etwas zur Schau trug, das seine Söhne tief erschreckte. Alec Puch nämlich trug eine so ungeheure Leidensmiene zur Schau, als hätte man ihm gleich sämtliche Zehen abgeklemmt. Na, er stellte sich hin vor die fröstelnden Knaben, ein Blick voll düsterer Liebe lief die Reihe entlang, und plötzlich, was geschah dann? Alec Puch weinte. Weinte einmal kurz, aber ausgiebig, sah dann die Söhne mit versonnener Zärtlichkeit an und sprach folgendermaßen: »Der Tag«, sprach er, »meine Söhne, ist nahe. Wehe, wenn ihr noch nichts habt gehört vom Lamm: Ostern. Wer von euch noch nichts gehört hat vom Lamm, ich werd' ihn prügeln, bis er weiß das und sogar noch mehr. Aber

das Lamm, ihr Lachudders: klein, ganz ganz klein, und sauber. Und ausgeschlafen. Und gaaanz weiß. Ehrenwort. Und sagt nichts, das kleine, weiße, liebliche Lamm. Eine Schneeflocke, verstanden! Das ist das Lamm. Ostern: Wehe, wer nicht kennt das Lamm. Kleines, gewaschenes, fröhliches Lamm. Anders als ihr.«

Alec Puch, der rosige Vater, konnte nicht weitersprechen, denn, wie man schon gespürt haben wird, ersticken Tränen die weitere Rede, und er trat, in haltloser Rührung, an die Reling, weinte hingebungsvoll und ließ die zarten Knaben frieren.

Doch unvermutet - die Knaben waren nicht darauf gefaßt und aßen, was sie in ihren Taschen gefunden hatten - schoß er herum, lachte, ging mit ausgebreiteten Armen auf seine Lachudders zu, küßte sie intensiv, und nachdem er sich etwas Eßbares von ihnen geliehen hatte, sprach er so: »Wir haben, Cholera, lange genug ohne gesellschaftlichen Verkehr gelebt. Das ist, was soll ich viel sagen, nicht gut. Und darum werden wir, Söhne, morgen das geben, was man einen Ostertisch zu nennen pflegt. Vielleicht gleich vor dem Schiffchen. So ein Ostertisch: wer ihn mitgemacht hat einmal - vergessen kann er ihn nie. Man braucht Fische und Schinken, und, wie sich's gehört, einige Fläschchen zum Trinken. Nur, wenn ich bitten darf, nicht zu knapp.«

»Den Tisch«, sagte die Ortschaft Quaken, »den Tisch, bitte sehr, haben wir schon.«

»Und wir haben«, fügte die Ortschaft Sybba hinzu, »auch die Bänke. Hier liegen, dreht euch nur um, Bretter genug.«

»Damit«, sprach Alec Puch, »kommen wir zu dem Unwichtigen: worunter ihr zu verstehen habt Fische, Schinken, und, wenn ich bitten darf, nicht zu knapp zu trinken.«

»Es wird«, sagte die Ortschaft Schissomir, schon im Stimmbruch, »alles beschafft werden zur Freude. Unser Ostertisch wird fröhlich sein und lieblich wie das Lamm. - Habe ich richtig gesprochen?«

»Richtig«, sagten die Brüder und nickten.

Sodann küßte Alec Puch seine Söhne, und sie begaben sich, getrennt voneinander, in das Dorf hinüber, wo, wie gemeinhin vor Ostern, einer der bewegten und erstaunlichen masurischen Märkte stattfand. Und hier, worauf man vielleicht gespannt sein mag, geschah folgendes zum Nutzen des beschlossenen Ostertisches: Alec Puch, ein, wie gesagt, rosiges, annehmbares Herrchen, spazierte ein wenig auf und ab, trat, leidlich interessiert, an einen Fischstand heran, rümpfte die Nase, beklopfte die Fische - na, spielte so nach Herzenslust den hochmütigen Käufer. Die Fischfrau, eilfertig, ziemlich bedripst obendrein, plierte dazu, sagte auch gelegentlich was, aber das Herrchen ließ sich nicht beschabbern. Und während das Herrchen, äußerst kritisch, die Fische drückte, beklopfte, beroch, in manche sogar hineinhorchte, wer kam da an? Gut, sagen wir mal, es war die Ortschaft Quaken, die da ankam. Tat natürlich so, als ob das Herrchen nie dagewesen wäre, einfach unbekannt war man sich. Und während so die Fischfrau das unentschlossene Herrchen anplierte, griff Quaken, gewissermaßen die Entschlossenheit höchstpersönlich, ohne zu riechen und zu klopfen, in den Kasten, schnappte sich die beiden Jonasse - womit gemeint sind die größten - und verschwand. Rannte natürlich den Markt entlang, schrie in einem fort »Platz da«, »Zur Seite«, »Aufgepaßt« - und da er unter wilden Schreien die schleimigen Schwänze der »Jonasse« mal hierhin wirbelte, mal dahin, wagte keiner, in seiner Nähe zu bleiben, man stob quasi auseinander.

Stob, ja, derweil das annehmbare Herrchen, immer noch bei der Fischfrau, sich bemüßigt fühlte, so zu sprechen: »Mir scheint, Madamchen«, sprach er, »als schulde Ihnen der letzte Käufer noch Geld. Ich werde jetzt, Ehrenwort, dem Burschen nachsetzen, kann sein, daß ich ihn gleich erwische, kann sein auch ein bißchen später. In jedem Fall, Madamchen, nur Mut, werde ich ihn einholen. Ich finde ihn wieder.« Die Fischfrau sagte darauf: »Schnell, Herrchen, schnell. Er hat die größten.« - »Das ist«, sagte Alec Puch, »um so besser«, und er wandte sich um und verfolgte die diebische Ortschaft Quaken.

So traf man sich also am Schleppkahn, verwahrte die Fische, träumte einen spärlichen Augenblick lang vom bevorstehenden Ostertisch - man sah ihn schon köstlich gebogen - und zog wieder los. Wieder: das war notwendig zur Erfüllung des zweiten Wunsches, wonach auf einem Ostertisch prangen, oder sollen wir sagen: blühen muß ein hinreichend kolossaler Schinken, frisch angeschnitten nach Möglichkeit.

Die - wenn es erlaubt ist zu sagen - Blume allen Fleisches war lange entdeckt, blühte gleichsam schwitzend in einem Rauchfang, nur ein bißchen hoch ohne Leiter, und war Eigentum eines finsteren Menschen namens Bondzio. Dieser Bondzio, je nun, er war höflich, hatte ein Einsehen, dieser finstere Einzelgänger, und verließ sein Haus, als der Schinken vonnöten war, um das Kunstwerk des Ostertisches zu vollenden.

Auf den Plan trat diesmal die Ortschaft Sybba, ein Jüngelchen von anmutiger Magerkeit, oder, wenn man will: ein Bindfaden mit Beinen. Die Leiter war zur Hand, sie stand schon an Bondzios Haus, und hoch auf dem Sims, in gnädiger Dunkelheit, turnte der Bindfaden herum, ging glatt durch den Rauchfang wie unsereins durch die Tür, lupfte die Schinkenblume vom Haken, pflückte sie auf seine Art und schleppte sie keuchend nach oben. Doch

kaum war er oben, wer kam heranspaziert? Das Unglück selbst, noch dazu uniformiert. Das Unglück hieß Schneppat, lachte blöd und wichtig und war von Beruf Gendarm. Na, steckte seine gebrochene Nase auch prompt in diese Angelegenheit und begann ungefähr so: »Was geht hier, Alec Puch, vor sich?« Alec Puch - wer wird es ihm nicht nachfühlen - zitterte; zitterte so lange, bis er sich ausgezittert hatte, und dann sprach er folgendermaßen: »Es ist, hol's der Teufel, doch Ostern. Das Lamm, sauber, lieblich, kleine, gaaanz kleine Schneeflocke. Und weiß! Wir wollten, ach Gottchen, von wegen Ostern dem Bondzio einen Schinken bringen. Er hat abgeschlossen, du meine Güte, und nun, um uns zu helfen, wollten wir ihm eine Freude machen und den Schinken hineinwerfen in das Haus. Gerade durch den Kamin.«
»Das ist«, sagte Schneppat nach langer Gedankenarbeit, »verboten. Es könnte, Alec Puch, leicht sein, daß unter dem Kamin Zerbrechliches steht, Eier vielleicht oder so. Ihr solltet den Schinken, aber wirklich, wieder 'runterbringen, und es einmal, sagen wir, später versuchen.«
»Wir waren, Max Schneppat, noch nie aufsässig«, sagte Alec. »Das Gesetz geht uns, nun, es geht uns, wollen wir mal sagen: es geht uns einfach über alles.« Und damit flötete er dem Bindfaden auf dem Dachfirst, fing den Schinken auf, den Bindfaden hinterher; man wünschte sich friedlichen Ostertisch und empfahl sich.
Somit fehlten, wie man errechnet hat, auf dem Ostertisch nur noch ein paar Fläschchen, die zu

besorgen die Ortschaft Schissomir ausersehen war - aus folgendem Grund: dieses melancholische, stimmbrüchige Bürschchen hatte eine höchst seltene Begabung, die nämlich, zu jeder Zeit, wo immer es stand, ohnmächtig zu werden. Verkniff sich einfach nur ein Weilchen die Luft, lief grün an, das Bürschchen, zauberte sich eine tragische Blässe ins Gesicht und kippte mit verdrehten Augen um. So.

Und diesmal erlaubte es sich umzukippen vor der Kneipe eines Menschen namens Ludwig Karnickel, was zur Folge hatte, daß sich alsbald ein Menschenauflauf bildete. Ludwig Karnickel hüpfte aus seinem Kneipchen heraus, machte Männchen sozusagen, um das Unglück auch mitzubekommen, und stellte auf solche Art, und nicht zu knapp, die Fläschchen für den Ostertisch. Denn während er das Unglück begutachtete, begutachtete der schöne Alec nebst zwei Söhnen seine Regale: wonach der Ostertisch komplett war.

So saß man, mit friedlichen Aussichten, an Bord des Schleppkahns und dachte an das liebliche Lamm, als Alec Puch ein Gebrüll vernehmen ließ, wie es zu Anfang beschrieben wurde. Die Brut flog aufs Achterschiff, bildete eine zitternde Reihe, während Alec, den schönen Kopf gesenkt, herausstürzte und rief:

»Es ist«, rief er, »alles Dreck. Der ganze Ostertisch, sag' ich euch, Schmutz. Denn wir haben vergessen das Wichtigste. Und was wird, bitte schön, das Wichtigste sein? Die Gäste natürlich! Wir haben vergessen die Gäste. Wo wollt ihr, könnt ihr das sagen, zu dieser Stunde Gäste besorgen? Stehlen?« - »Es ist«, sagte die Ortschaft Quaken, »nie zu spät für alles, was sein soll. - Hab' ich richtig gesprochen?«

»Richtig«, bestätigten seine Brüder und nickten.

Dann verließ man in eiligem Schwarm das Schiffchen, schwärmte hierhin und dorthin - Fragen, Bedauern, Kopfschütteln, mit einem Wort: es war ein Kreuz mit den Gästen, denn wie zu erwarten stand, hatten sich schon fast alle verpflichtet. Nur drei - niemand wird sich unterstehen, dies Osterwunder anzuzweifeln - drei Gäste, mithin, waren noch frei. Es handelte sich: um die Fischfrau, um den finsteren Menschen Bondzio und den bereits

bekannten Ludwig Karnickel. Man bat sie - sie kamen.
Kamen schon am frühen Morgen zum Flüßchen herab, wo der Schleppkahn vertäut lag, inspizierten die Umgebung, man wechselte Höflichkeiten, und schließlich wurde der Ostertisch gedeckt. Und dann wurde gegessen und getrunken bis in den späten Abend, man plauderte angenehm über das liebliche Lamm, vertrieb sich die Zeit mit Komplimenten und versicherte sich gegenseitiger Sympathie.

Bis - ja, bis der Schinken einmal so lag, daß Bondzio die Kerbe erkennen konnte, die er hineingeschnitten hatte. Da begann der Spektakel, an dem sich, wie es bei solchen Geschichten üblich ist, bald auch die Fischfrau beteiligte, die ihre glotzäugigen Jonasse wiedererkannt hatte, und natürlich auch Ludwig Karnickel. Man rannte über die Wiesen,

verfolgte einander, schwang Knüppel und drohte, bis unversehens Alec Puch einen Schrei ausstieß, einen Schrei, welcher folgendes wiedergab: »Das Lamm!«
Und wirklich, was kam da am Flüßchen entlangspaziert? Ein Lamm, klein und weiß wie eine Schneeflocke. Die Gesellschaft stürzte hinzu, vergessen waren Streit und Drohung, man rupfte zarteste Blättchen für das Tier, streichelte es, na, man brachte sich fast um.
»Es ist«, sagte der schöne Alec, »das reine Wunder. Ehrenwort.«
Die Gäste sahen sich gezwungen, ihm beizupflichten, man schüttelte sich die Hände, umarmte einander, die Luft war erfüllt von Flötenton und Jubelklang, und als man auseinanderging, sprach der finstere Mensch Bondzio: »Es war«, sprach er, »Gevatterchen, insgesamt ein ansprechender Ostertisch. Vor allem, unter uns gesagt, weil jeder auf seinen persönlichen Geschmack angesprochen wurde. Das ist, wie man zugeben wird, nicht leicht.«

DIE FÜNFTE
DER MASURISCHEN GESCHICHTEN

Das Bad in Wszscinsk

Das Erlebnis, das sonderbare, hatten meine Verwandten an einem friedlichen Marktflecken unterhalb des Narew, Wszscinsk geheißen, was bei uns manche Zunge brechen könnte, im Polnischen aber ungemein melodiös klingt. Hierher, nach Wszscinsk am Flusse Narew, kam kurz nach Pfingsten eine kleine masurische Reisegesellschaft; sie hatte den Weg von der Grenze fast ohne Unterbrechung zurückgelegt, fuhr nach Feierabend in das schweigsame Dörfchen ein und hielt vor dem Gasthaus »Tchicha Woda«, was sowohl zum stillen als auch zum tiefen Wasser heißen kann. Still oder tief - als die Kutsche hielt, sprangen sofort meine beiden Vettern Urmoneit heraus; es waren gutgewachsene, barfüßige Herren, beide waren knapp über die Vierzig, rochen angenehm, trugen einen neuen Haarschnitt und in der Hand einen Kadick-Stock. Sie eilten, jeder von einer Seite, an den Bock heran und bemühten sich mit untertäniger Eile, ihrem Kutscher herabzuhelfen.
Auf dem Kutschbock saß, schwer und alt, den kurzen rundlichen Körper in ein schwarzes Dreieckstuch eingeschlagen, Tante Arafa; sie hatte ein großes nickendes Gesicht, fleischige Kapitänshände und sanft gebogene Schultern. Während die Vettern versuchten, Tante Arafa herabzuziehen,

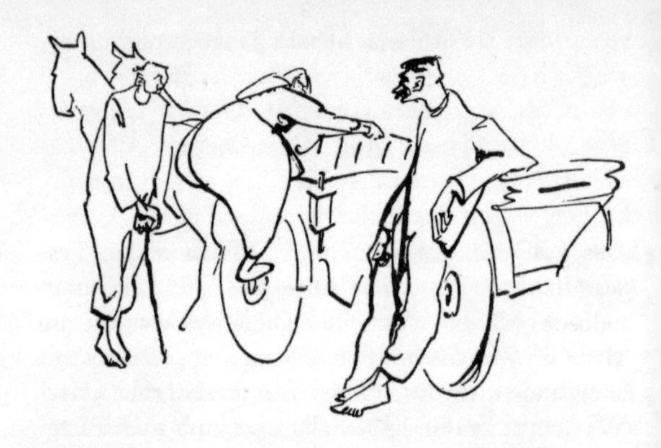

knallte sie einmal unwillig mit der Peitsche, warf die Lippen auf und sagte mit der Stimme eines defekten Blasebalgs: »Wir sind, Hosiannah, angekommen. Jetzt werde ich ein Bad nehmen, und hinterher werden wir essen, und wenn wir gegessen haben, kann's losgehen.«

Sie kletterte ohne den Beistand der Vettern vom Kutschbock herab, band die Zügel fest und ging auf den alten, niedrigen Gasthof zu, dessen Mauern schon schief und von der Zeit geschwärzt waren. Die Vettern folgten ihr demütig.

Tante Arafa also, wie gesagt, ging auf das schiefe Gasthaus zu, stieß die Tür auf und rief nach dem Besitzer. Der erschien alsbald, ein scheuer, kleiner Mensch mit wimpernlosen Lidern, er verbeugte sich linkisch, musterte Tante Arafa mit einigem Erschrecken und fragte nach ihren Wünschen.

»Sozusagen ein Bad«, sagte sie, »und nach dem Baden wollen ich und meine Neffen essen. Wir wa-

ren«, fügte sie drohend hinzu, »lange genug unterwegs.«
»Es wird«, sagte der Besitzer des Gasthauses, »alles geregelt werden zu Ihrer Zufriedenheit. Was zunächst das Bad betrifft, so bitte ich, mir zu folgen.«
Er ging voran durch die rauchgeschwärzte Wirtsstube, durchquerte mit Tante Arafa und den Vettern im Schlepptau den Stall und blieb in einem zugigen Schuppen stehen. Dieser Schuppen, so schien es, war das Badehaus, denn auf gestampftem Lehmboden, in der Nähe eines Feuerchens, stand eine riesige braune Holzbalje, mehr als zur Hälfte mit heißem Wasser gefüllt, und über dem Feuerchen, an einem Eisenhaken, baumelte ein großer Wasserkessel, der gerade von einer Magd mit sanften, dunklen Augen nachgefüllt wurde.
Die einzige Holzbalje war jedoch nicht leer, in ihr saß, badend, ein Greis; er grinste freundlich und blöd, als die Gesellschaft eintrat, plantschte albern und lachte, wobei sein letzter Zahn, Einsiedler seines Mundes, zu sehen war. Tante Arafa sah den badenden Alten mißtrauisch an und sagte: »Mir scheint es, Cholera, als sei das Bad noch besetzt.« -
»Das ist«, sagte der wimpernlose Wirt, »kein Grund zur Besorgnis. Stanislaus Skrrbik, ein Bruder meiner Frau, sitzt den ganzen Tag hier im Wasser. Er ist, das sehen Sie, alt, und außerdem hat er Fieber. Er wird, Sie dürfen ganz sicher sein, keinen Anstoß nehmen, wenn Sie ins Bad steigen, in vielen anderen Fällen hat er auch keinen Anstoß genommen.«
»Das mag«, sagte Tante Arafa düster, »wohl sein.

Aber vielleicht nehme ich Anstoß, und das würde der Sache ein anderes Licht geben. Wir sind anderes gewohnt. Also gehen Sie und sagen Sie Stanislaus Skrrbik, daß er das Bad freigibt für andere Menschen. Wenn er den ganzen Tag hier sitzt, läßt es sich doch wohl machen, daß er für eine halbe Stunde im Trockenen steht. Wie denkt ihr darüber, Bogdan und Franz?«
»Du hast, Tantchen, nicht unrecht«, sagten die Vettern. Der Wirt wiegte bedenklich den Kopf, sein Blick hing versonnen an dem plantschenden Greis, der mit hohler Hand Wasser schöpfte, es zum Rand der Balje emporführte und auf seinen kahlen Schädel goß, alles von einem dünnen, mekkernden Lachen begleitet und von kleinen, irren Schreien des Entzückens.

»Nein«, sagte der Wirt, »der Wunsch, Stanislaus Skrrbik zum freiwilligen Verlassen des Bades zu bewegen, selbst für eine bemessene Zeit, wird nicht zu erfüllen sein. Dazu hängt er zu sehr an der Balje. Er würde, wie ich ihn kenne, so tun, als verstünde er unsere Aufforderung nicht.«

»Mit anderen Worten«, sagte Tante Arafa, »mir wird das Recht auf ein Bad streitig gemacht.«

»Niemand hat davon gesprochen«, sagte der Wirt.

»Gesprochen«, entrüstete sich Tante Arafa, »hat auch niemand davon, aber zu verstehen gegeben wird es mir in einem fort. Oder wollen Sie sich, bitte sehr, erklären, wie ich unter diesem Dach zu meinem Recht komme?«

»Es ist«, versicherte der Wirt, »nicht allzu viel nötig, damit Sie zu einem Bad kommen, vorausgesetzt, daß mir einer der Herren, die sich in Ihrer Begleitung befinden, für einen Augenblick zur Hand ginge.«

»Bogdan«, rief Tante Arafa sofort, und der Gerufene trat aus dem Hintergrund des Schuppens, legte den Kadick-Stock auf den Lehmboden und hielt sich bereit. »Bogdan, du wirst diesem Menschen helfen.« Bogdan nickte, der Wirt winkte ihm, und dann traten beide auf den badenden Greis zu, der in lächerlicher Weise gegen sie spritzte.

»Wir werden ihn«, sagte der Wirt, »da alles andere zwecklos ist, auf den Hof gießen. Die Luft ist warm heute abend, und so dürfte er keinen Schaden nehmen. Zur Sicherheit werde ich, auf jeden Fall, eine Pferdedecke über ihn werfen. Also - angefaßt!«

Sie trugen die Holzbalje mit dem badenden Alten auf den Hof hinaus, trugen ihn, während er fröhlich winkte, zu einem Abflußgraben, und auf ein schnelles Kommando kippten sie die Balje um, woraufhin die sich ganz und gar entleerte.

»Kommen Sie«, sagte der Wirt zu Bogdan, »für alles andere werde ich schon sorgen«, und er zerrte seinen ausgeliehenen Gehilfen über den Hof zurück in den Schuppen, wo er, mit triumphierendem Gesicht, die Holzbalje vor Tante Arafa niedersetzte.

»Es wird, Sie können sicher sein, nun nicht mehr lange dauern. Jadwiga Trczk, meine Magd, wird alles besorgen zu Ihrer Zufriedenheit.« Nach solchen Worten deutete er auf die sanften, dunklen Augen, und diese lächelten zustimmend.

Während er selbst hinausging, füllte Jadwiga Trczk neues Wasser in die Balje, die Vettern verließen den Schuppen, und Tante Arafa stieg ins Bad.

»Nun«, sagte der wimpernlose Wirt zu Bogdan, der ihm zur Hand gegangen war, »ist alles geregelt zu jedermanns Zufriedenheit. Die vornehme Dame hat ihr Bad allein, wie sie's gewohnt ist. Aber Ihnen, mein Herr, muß ich danken für die kundige Hilfe. Sie verstehen sich wohl darauf, eine Balje mit einem lästigen Menschen umzukippen.« - »Das macht«, sagte Bogdan geschmeichelt, »nichts als Übung. Ehrenwort.«

DIE SECHSTE
DER MASURISCHEN GESCHICHTEN

Ein angenehmes Begräbnis

Es starb, auf einer kleinen Reise im Polnischen - es war genau an dem trauten Marktflecken Wszscinsk am Flusse Narew -, mein Tantchen Arafa. War ein schwerer, fülliger Mensch, mein Tantchen, hatte mächtige Schultern und rötliche Kapitänshände, und außerdem war sie ungemein kräftig und gewohnt zu befehlen. Sie hatte während der ganzen Reise noch keine Anzeichen davon gegeben, daß sie zu sterben beabsichtige - im Gegenteil: sie machte, dann und wann, ein paar grollende Scherze, aß ständig mehr als meine beiden Vettern Urmoneit, die sie begleiteten, zusammen und versetzte beinahe jeden Wirt, mit dem sie verhandelte, in flatternden Aufruhr.

Das Tantchen: es starb mit einem Fluch auf den Lippen, lag gerade hinten in der Kutsche, als es geschah, während die Vettern, scheu und ahnungslos, vorn auf dem Bock saßen. Sie wunderten sich nicht einmal, daß es still wurde hinter ihrem Rükken, daß keine grollenden Scherze mehr erfolgten, keine Befehle - wußten rein nichts von dem Unglück, die beiden. Na, aber dann mußten sie ja mal anhalten, weil die Pferde Wasser brauchten, und als sie dem Tantchen herabhelfen wollten, damit es sich die Beine vertreten könnte, schlenkerten ihnen die rötlichen Kapitänshände entgegen,

schlapp, ganz schlapp, und zudem war Tantchens Gesicht dermaßen friedlich, daß die Vettern, wie es jedem anderen auch ergangen wäre, mißtrauisch zu werden begannen.
Sie gingen daran, sich zunächst nach allen Regeln der Kunst zu versichern: beklopften das Tantchen, lauschten in es hinein, hielten ihm ein weiches Kükenfederchen unter die Nase, murmelten Sprüche, massierten es - aber das Tantchen tat, was Tote so zu tun pflegen: es interessierte sich einfach für nichts. Worauf denn Bogdan, einer der Vettern, so sprach: »Ich rieche«, sprach er, »Lunte. Wir sind, wie man sich erinnert, abgefahren mit einem Tantchen, das Ton und Laut gab. Dies Tantchen, bitte sehr, gibt keinen Ton mehr. Es ist sozusagen verschieden.« - »Verschieden«, sagte der andere, »ist das Tantchen schon. Aber in der Kutsche, mein Gottchen, sitzt es noch immer. Und es ist, wie die Dinge stehen, zu fürchten, daß unser Tantchen von allein die Kutsche nicht wird verlassen.«
»Wir werden es«, sprach Bogdan, »melden. Vielleicht bei der Polizei?«
»Nein«, rief der andere schnell und hob, in erschreckter Abwehr gegen diesen Gedanken, die Hände. »Wenn wir es melden: man wird untersuchen das Tantchen, man wird auch uns untersuchen, sogar verdächtigen, und wie die Gesetze betreffs einer Leiche in Polen liegen, kann es Winter werden, bis wir mit dem Tantchen nach Hause kommen.«
»Dem Tantchen, mein' ich«, sprach Bogdan, »wär' das doch egal.« - »Aber uns nicht«, sagte der andere

Urmoneit. »Schau doch, ich bitt dich, das Tantchen mal an. Sieht es nicht aus wie im Schlummer? Also werden wir losfahren, und wenn einer sich untersteht zu fragen, werden wir um Ruhe bitten für eine schlummernde Dame.«

So tränkten meine Vettern Urmoneit die Pferde und rollten gemächlich zur Grenze. Richteten es natürlich so ein, daß sie nachts vor dem Schlagbaum hielten, und da geschah folgendes: Bogdan, in leichtfüßigem Entschluß, sprang nach hinten zum Tantchen, umsteckte es mit Kissen, plusterte alles ordentlich auf, und als er fertig war, kam auch schon der Posten heraus. War ein schmächtiger, lederhäutiger Mensch, dieser Posten, beäugte die Vettern, beäugte die Kutsche und die Pferde, schnüffelte vor Langeweile alles durch. Na, und

dann sah er das Tantchen, kletterte gleich zu ihr 'rauf und sagte so: »Wer ist«, sagte er, »bitte schön, dies tote Madamchen?« Worauf die Vettern, in

diskretem Chor, antworteten: »Es ist Arafa Gutz, unser Tantchen ersten Grades.«
»Erster Grad, zweiter Grad«, sagte der Posten, »aber warum, hol's der Teufel, gibt sie keinen Ton?«
»Weil sie, Ehrenwort, schlummert. Und vielleicht dürfen wir, Pan Kapitän, um Ruhe bitten für eine schlummernde Dame.«
»Gut«, sagte der Posten, »alles genehmigt, aber wer garantiert mir, daß euer Tantchen ersten Grades nicht beispielsweise verschieden ist?«
»Wenn sie«, sagten die Vettern, »verschieden wäre, könnte sie nicht schlummern, und unser Tantchen schlummert.« Der Posten überlegte, und da ihm die Logik zusagte, ließ er die Kutsche passieren.
Und die Vettern Urmoneit fuhren die ganze Nacht und kamen am Morgen in ein Dörfchen, welches Kulkaken hieß. Sie waren, wie man ihnen nachfühlen wird, ungewöhnlich hungrig - hatten ja lange genug gedarbt, die Vetterchen -, und darum stellten sie die Kutsche mit dem Tantchen vor einem Wirtshaus ab und gingen ins Haus, um sich zu stärken für den Rest des Weges. Hieben also ungeheuer drauf los, aßen Speck, Eier, Rauchfleisch, Kohlsuppe, Honig, Zwiebelkuchen und eingemachte Birnen, und außerdem tranken sie eine riesige Kanne Kaffee. Aßen beiläufig den halben Vormittag, die beiden, und als sie hinausgingen - ja, was mag da wohl passiert sein, als sie hinausgingen: die Pferde waren weg. Und mit den Pferden war die Kutsche weg, und mit der Kutsche das Tantchen.

Na, die Vettern sprangen, sagen wir mal: wie wilde Handfeger ums Haus, suchten und wedelten, schimpften und riefen, aber was nicht wiederkam: es war die Kutsche mit der Tante.

Nachdem sie sich müde und hungrig gesucht hatten, gingen sie abermals ins Haus und aßen, und nach dem Essen lächelte Bogdan auch schon wieder, lächelte eine ganze Weile, und dann sagte er so: »Wir haben«, sagte er, »Trost bei allem. Stell dir nur, Brüderchen, vor den Dieb unserer Kutsche. Nimm etwa seinen Schrecken: muß der nicht groß gewesen sein? Oder nimm seine Hand: muß die nicht schlimm gezittert haben, als er das tote Tantchen entdeckte?«

So trösteten sie einander, lachten über den Dieb und brachen, wie man es sich denken wird, erst ziemlich spät auf nach Suleyken. Sie schritten über die Wiesen, um den Weg abzukürzen, erstiegen den Damm der Kleinbahn und wurden bald ansichtig der Lichter Suleykens. Wurden aber auch einiger Menschen ansichtig, die beiden, und trauten sich nicht zu hören, was ihnen diese Menschen erzählten. Sie erzählten nämlich, daß nachmittags, so zur Kaffeezeit, Tante Arafa zurückgekommen sei, hinten in der Kutsche habe sie gelegen und geschlummert. Und als ob sie verschieden sei, so habe sie ausgesehen.

Die Urmoneits, schlau wie sie waren, begriffen augenblicklich, daß es den Pferden in Kulkaken zu langweilig geworden war. Hatten einfach keine Lust mehr zu warten, und waren allein losgezogen. »Du wirst«, sprach Bogdan, »sehen: die

Pferde werden sein im Stall.« Und sie eilten, angerührt von zehrender Sorge, nach Hause.
Kaum waren sie auf dem Hof, wer lief ihnen über den Weg? Glumskopp, ein alter, zahnloser Knecht. Er lachte, dieser Mensch, von einem Ohr zum andern, rieb sich die Hände und ließ sich, in seiner mümmelnden Art, so vernehmen: »Ein Fest, hehehe, wir werden zu feiern haben ein Fest. Und es wird zu essen geben Heringe in Schmand.«
»Wer hat«, sagte Bogdan, »anberaumt dieses Fest?«
»Das Fest«, mümmelte Glumskopp, »hat anberaumt das liebe Gottchen, hehehe. Er hat sterben lassen die Alte, und er wird, wie ich ihn kenne, sorgen für ein angenehmes Begräbnis.«
Die Vettern schoben ihn höflich zur Seite und betraten das von Trauer heimgesuchte Haus. Es roch nach Braten und Gebackenem und Geräuchertem und wer weiß nicht was allem. Aber die Urmoneits überwanden sich und gingen selbander in die Stube. Gingen hinein und wurden, als besonders Leidtragende, gleich umringt von zahlreicher Trauergesellschaft, Hände streckten sich ihnen entgegen, Lippen beugten sich herab; man sprach vom Tantchen als einer zarten, lieblichen Nelke, man flüsterte leise und weinte geläufig, gab sich Trost, soviel man nötig hatte, und nahm an einem langen Tisch Platz.
Die Vettern bemerkten, daß unter dem Fenster, noch von Tüchern verdeckt, die Instrumente einer Blaskapelle lagen: es war alles bereit. Gut. Aber erst einmal erhob sich Bogdan Urmoneit und

sprach folgendermaßen: »Wir sollten«, sprach er, »ein ganz kleines Weilchen an den denken, der verschieden ist: unser Tantchen Arafa ... noch etwas länger, wenn ich bitten darf ... noch etwas ... so, jetzt ist gut. Und nun frage ich: wo ist unser Tantchen?«

»Verschieden«, rief jemand von der Kapelle.

»Nein«, sagte Bogdan ernsthaft, »ich meine, wo ist ihr Leib?« - »Ihr Leib«, sprach ein einäugiger Förster, »ist nicht mehr zu besichtigen. Was sterblich ist an ihr: wir haben es gelegt in einen entsprechenden Sarg. Und den Sarg, damit mehr Platz ist im Haus, haben wir hochkant gestellt, gegen den Ofen. Da steht der Leib bequem.«

Bogdan nickte. Aber er nickte abwesend, denn er hatte unter den trauernden Gästen jemand bemerkt, der sein Herz irgendwie - sagen wir mal: hold - berührte. Blühte mächtig drauflos, Bogdans Herz, begann sogar zu ranken, na, es rankte sich hold herum um die Gestalt einer gewissen Luise Luschinski, einer blassen, kleinen Person mit verweintem Vogelgesicht.

Bogdan vergaß, was um ihn vorging. Er lächelte der Luise Luschinski mit einer so ungeheuren Innigkeit zu, daß die ganze Gesellschaft es verfolgte. Die Musiker natürlich, immer hungrig dieses Volk, faßten das gleich wieder falsch auf, holten sachte ihre Instrumente hervor und begannen, einen langsamen Walzer zu spielen. Die Klänge jedoch, sie bewirkten, daß Bogdan zu lächeln aufhörte und sich, ruckartig, mit Trauer versah. Aber zu spät, zu spät: alles hatte schon seinen Anfang genommen.

Das Glück, es näherte sich ihm auf den kleinen Füßen der Luise Luschinski. Als ob die Musik sie herangeweht hätte, die kleine blasse Person, stand sie plötzlich vor ihm und sprach: »Dieser Walzer, Bogdan Urmoneit, er gehört dir.«
Worauf Bogdan sich unschlüssig umsah und, als er die zustimmenden, ja auffordernden Blicke der Trauergesellschaft bemerkte, antwortete: »Genehmigt. Aber wenn ich bitten darf, nur ganz langsam.«
Schwebten also los die beiden, und, wie man es erwartet hat, folgten ihnen bald andere Paare. Die Musik wurde lauter, hier und da ließ sich schon Lachen vernehmen, unter anderem das mümmelnde Lachen von Glumskopp - mit einem Wort: die Gesellschaft verschaffte sich Durst. Und Hunger, versteht sich. Durstete und hungerte so lange, bis der einäugige Förster aus der Küche zurückkam und rief: »Hosianna«, rief er, »der Hirsch ist tot.«
So, und dann wurde gegessen. Was gegessen wurde? Ich brauch' nur zu erzählen von mir: obzwar jung und unmündig, verzehrte ich acht Spiegeleier mit fettem Speck, fünf Klopse, etwas vom Hasen, einen Entenhals, einen Teller Blutsauer mit Gekröse vom Huhn, einen Teller Fleck, ein halbes Schweineohr und einige Bratäpfel. Dazu aß ich gebackene Zwiebeln, einen gerösteten Fisch und am späten Abend ein paar Flußkrebse, die der alte Glumskopp gefangen hatte. Ich war, wie gesagt, jung und unmündig.
Zuerst also wurde gegessen, und nachdem man

gegessen hatte, wurde getrunken, und der Trunk, wie er's so in sich hat, rief ein Ereignis hervor, das nicht anders genannt zu werden verdient als - aber zuerst das Ereignis. Edmund Vortz, ein Schneider, behauptete, nachdem er getrunken hatte, allen Ernstes, daß Hindenburg in seinen Augen nicht gebildeter gewesen sei als ein Suleyker Huhn. Darauf erhob sich ein kolossaler Lärm. Der einäugige Jäger sprang auf und schlug den Schneider dermaßen vor die Brust, daß der Beleidiger unter den Tisch flog und eine Weile, ohne ein Zeichen von Leben, liegen blieb. Schon wollte man ihn vergessen, da krähte er schon wieder, daß er selbst, Edmund Vortz, die Schlacht von Tannenberg noch besser gewonnen hätte - was wieder den einäugigen Förster auf den Plan rief. Er schlug den Schneider abermals nieder, wurde, nachdem die Ohnmacht vorbei war, wieder herausgefordert - es war nicht mehr viel übrig von dem Schneider, und es wäre noch weniger übriggeblieben, wenn nicht Bogdan dem Streit ein Ende gemacht hätte. Er sagte nur: »Tante Arafa«, und augenblicklich legte sich ein sinnender Friede über die Gesellschaft. Aber das Ereignis, es verdient nicht anders genannt zu werden als: ernst.

Was das Begräbnis betrifft: es hat, zwischendurch, auch mal stattgefunden. Tante Arafa erhielt ein schönes Grab, gleich neben einer masurischen Kiefer. Die Gesellschaft lobte das Plätzchen, sprach rührende Worte zum Tantchen hinunter und ging wieder nach Hause, wo das Fest einen erquicklichen Fortgang nahm. Drei Tage war man zusammen, und zum Schluß schenkte Bogdan jedem etwas von den Speisen, die übriggeblieben waren, und dazu ein ganzes Stück Seife. Und alle, die gekommen waren, sahen über den Streit hinweg und versicherten ungefähr wörtlich: es war, insgesamt, ein angenehmes Begräbnis.

DIE SIEBENTE
DER MASURISCHEN GESCHICHTEN

Schissomirs großer Tag

Sie waren beide barfuß, und der eine führte eine Ziege am Strick und der andere ein Kälbchen; so traf man sich an der Kreuzung, und während Ziege und Kalb erstaunt Notiz voneinander nahmen, begrüßten sich die barfüßigen Herren, boten einander Schnupftabak an und kamen, ohne viel Worte, überein, diesen Tag einen guten Markttag zu nennen, denn der Himmel dehnte die blaue Brust, die Heuschrecken zirpten, wie es ihnen zukam, und in der Luft lag ein ahnungsvolles Flimmern. Nachdem also, wie gesagt, der Tag für gut befunden war, besprenkelte man gemeinsam das Chausseegras, nahm noch ein Prieschen, und dann rief Herr Plew seine Ziege und Herr Jegelka sein Kalb, und beide wanden sich den Strick um den Hals und schritten, die Tiere im Rücken, forsch aus, denn Schissomir, der freundliche Marktflecken, lag sechs Meilen entfernt und wollte erreicht sein. Sechs Meilen, das weiß man, sind, mit Ziege und Kälbchen im Schlepptau, nicht unbedingt eine Promenade, und so gerieten die Herren, was ihnen keiner verdenken wird, ins Fluchen; sie fluchten nach Temperament, d. h. Herr Jegelka mehr als sein Nachbar, denn das Kälbchen, im Begriff die Welt zu entdecken, erwies sich als ausnehmend störrisch, wollte hierhin und dahin, äugte plötzlich versonnen auf glitzernde Tümpel oder auf seinen Gefährten, die Ziege. Diese war alt und wesentlich williger.

»Es ist«, sagte Jegelka, »kein einfacher Weg. Mit so einem Kälbchen an der Schnur hätte Napoleon, weiß Gott, nicht so schnell Rußland verlassen können.«

»Vermutlich«, sagte darauf Plew, »hätte Napoleon es anders gemacht. Er hätte, wie ich ihn kenne, Befehl gegeben, das störrische Kalb zu tragen.«

»Ja der«, sagte Jegelka mit Nachsicht, »der machte sich alles zu einfach.«

So gingen sie weiter, warfen Napoleon noch dies vor und jenes, aber schließlich kamen sie auf Preise zu sprechen, und Jegelka, dem der zerrende Strick die Hand schon gerötet hatte, erklärte: »Dieser Weg zum Markt, ich meine den Weg mit dem Kälbchen, ist schon so viel Geld wert wie das Kälbchen an sich. Darum werde ich es nicht unter dem üblichen Höchstpreis verkaufen. Ich lasse nicht mit mir handeln, ich gehe keinen Groschen vom Preis ab.«

»Das kann ich verstehen«, sagte Plew, »aber bei meiner Ziege ist es anders. Die ist schon alt, ziemlich ausgemolken und gerade ihr Fleisch wert. Ich bin froh, wenn jemand drauf 'reinfällt. Dir kann ich's ja sagen, wir sind ja aus einem Dorf.«

»Mir kannst du es sagen«, sagte Jegelka, »na, wir wollen mal sehen.«

Noch vor Mittag sahen sie Schissomir, den freundlichen Marktflecken, und die Luft war erfüllt von allem, was Ton und Geruch gab, die Leute waren lustig und lebhaft, knallten mit Peitschen, lachten, hatten Stroh an den Stiefeln, aßen fetten Speck, schauten Pferden ins Maul und kniffen Ferkel in den Rücken, worauf ein wildes Quietschen anhob; dicke Frauen wurden am Rock gezogen, Kinder plärrten, Bullen brummten, eine Gans war unter eine Herde von Schafen geraten, was bewirkte, daß einige Schafe unter die Kühe kamen und einige Kühe sich losrissen und durch die staubige Gasse der Buden sausten, und als ein riesiger Mann die Gans einfing, schrie und flatterte sie so laut unter seinen Händen, daß er vor Angst fester zupackte, und dabei starb die Gans, was wieder die zungenfertige Eigentümerin auf den Plan rief - kurz gesagt, Schissomir, der freundliche Marktflecken, hatte einen seiner großen Tage.

Plew mit der Ziege und Jegelka mit dem Kälbchen waren alsbald von einigen Kauflustigen umlagert, man stritt und lachte, klopfte der Ziege das Euter ab und schaute dem Kälbchen in die Augenwinkel und Ohren, und plötzlich zog ein Mann, ein kurzer stämmiger Viehhändler, einen Briefumschlag heraus, zählte Geld ab, gab das Geld Plew, band sich, ohne Eile, den Strick um das Handgelenk und führte die Ziege davon. Plew zählte fröhlich das Geld nach, ging dann zu seinem Dorfnachbarn Jegelka hinüber und sagte: »Hosiannah! Die Ziege ist verkauft! Wenn du dich beeilst, können wir, bevor wir nach Hause gehen, uns noch einen genehmigen.« - »Ich könnte«, sagte Jegelka, »das Kälbchen längst los sein. Aber der Weg war mühselig, und ich denke nicht daran, mit mir handeln zu lassen. Du brauchst, Nachbar Plew, nicht so mit deinem Kleingeld in der Tasche zu klimpern. Es macht keinen Eindruck auf mich. Von mir aus, wenn du willst, kannst du dir einen genehmigen. Ich warte hier, bis jemand den Preis bezahlt, den das Kälbchen und der Weg wert sind. Wenn sich niemand findet, nehme ich das Kälbchen wieder nach Hause.«

»Gut«, sagte Plew, »so werde ich also, etwas später, hierher kommen, denn der Weg, Nachbar Jegelka, ist weit, und zu zweit läuft es sich angenehmer.«

Plew ging, sich einen zu genehmigen, und dann schlenderte er durch die staubige Gasse der Buden, staunte, worüber zu staunen ihm wert schien, wechselte Grüße, säuberte, wenn ihn das Schicksal zu nah an den Kühen vorbeigeführt hatte, gewissenhaft seine Fußsohlen und erholte sich auf seine Weise. Als er zu Jegelka zurückkam, war der Viehmarkt vorbei, das Kälbchen aber immer noch nicht verkauft. »Du scheinst«, sagte Plew, »vom Unglück verfolgt zu sein.«

»Es ist nicht das Unglück«, sagte Jegelka, »ich will nur das Kälbchen nicht unter Preis verkaufen. Jetzt ist der Markt vorbei. Nun muß ich es wieder nach Hause nehmen. Von mir aus können wir gehen.«

Sie machten sich auf den gemeinsamen Heimweg; der eine zog sein Kälbchen, der andere, der ein Stückchen vorausging, klimperte fröhlich mit seinem Geld in der Tasche und konnte sich nicht genugtun zu erwähnen, wie glücklich er über den

Verkauf der Ziege sei, zumal sie, bei Licht betrachtet, nur den Wert ihres Fleisches gehabt habe. Das tat Plew mit so viel Ausdauer, daß Jegelka sich darüber zu ärgern begann; denn er spürte wohl, worauf es sein Nachbar abgesehen hatte, und darum verhielt er sich still und dachte nach.

Plötzlich aber blieb Jegelka stehen mit dem Kälbchen, rief Plew zurück und deutete auf die Erde. Auf der Erde saß, grün und blinzelnd, ein Frosch, ein schönes, glänzendes Tierchen.

»Da«, sagte Jegelka, »sieh dir diesen Frosch an, Nachbar Plew. Siehst du ihn?«

»Nun«, sagte Plew, »ich sehe wohl.«

»Gut«, sagte Jegelka, »dann will ich dir einen Vorschlag machen, einen Vorschlag, den anzunehmen du dich sofort bereit finden wirst. Du hast, Nachbar Plew, deine Ziege glücklich verkauft. Du hast Geld. Du kannst, wenn du willst, nicht nur das Geld vom Markt heimbringen, sondern auch noch mein Kälbchen. Dazu mußt du allerdings diesen Frosch essen.«

»Aufessen?« vergewisserte sich Plew.

»Aufessen!« sagte Jegelka mit Bestimmtheit. »Wenn der Frosch in deinem Hals verschwunden ist, kannst du mein Kälbchen an den Strick nehmen.«

»Das ist«, sagte Plew, »in der Tat ein hochherziger Vorschlag, und von mir aus ist er angenommen. Ich esse den Frosch, und du gibst mir, Nachbar Jegelka, dein Kälbchen.«

Plew, nachdem er so gesprochen hatte, bückte sich, schnappte den Frosch und biß ihn mit geschlosse-

nen Augen durch, während Jegelka ihm mit seltsamer Genugtuung zusah.

»Nur zu, Nachbar«, sagte er, »die erste Hälfte, das habe ich gesehen, ist in deinem Hals verschwunden. Jetzt die Schenkel.«

»Ich bitte«, sagte Plew verstört und mit verdrehten Augen, »mir ein wenig Aufschub zu gewähren. Das ist, weil der Magen Zeit finden soll, sich an den fremden Stoff zu gewöhnen. Können wir nicht, Gevatterchen, ein Stückchen laufen? Ich werde dann, zu gegebener Zeit, die andere Hälfte essen.«

»Gut«, sagte Jegelka, »damit bin ich einverstanden.« Und sie liefen stumm nebeneinander, und je weiter sie liefen, desto übler wurde es Nachbar Plew und desto größer wurde auch seine Gewißheit, daß er die zweite Hälfte des Frosches nie über die Lippen bringen würde, und er überlegte verzweifelt, wie er aus dieser Lage herauskommen könnte. Dabei gab er sich aber den Anschein des Mutes und der Zuversicht, so daß Jegelka, der sein Kälbchen nur mehr zur Hälfte besaß, schon zu bangen anfing.

Schließlich blieb Plew unvermutet stehen, hielt dem Nachbarn den halben Frosch hin und sagte: »Nun, Nachbar, wie ist's? Wir wollen uns nicht um Hab und Gut bringen, zumal wir aus demselben Dorf stammen. Wenn du den Rest des Frosches ißt, verzichte ich auf meinen Anspruch, und du darfst dein Kälbchen behalten.«

»Das«, sagte Jegelka glücklich, »ist echte Nachbarschaft.« Und er aß unter Halszucken und Magenstößen die zweite Hälfte des Frosches, und das Kälbchen hinter seinem Rücken gehörte nun wieder ganz zu ihm. »So bringe ich doch noch«, sagte er mit verzerrtem Gesicht, »etwas vom Markt nach Hause.«

Sie zogen nachdenklich ins Dorf, und als sie sich am Kreuzweg trennten, sagte Jegelka: »Es war, Nachbar, ein guter Markttag. Nur, weißt du, warum wir eigentlich den Frosch gegessen haben?«

DIE ACHTE
DER MASURISCHEN GESCHICHTEN

Duell in kurzem Schafspelz

Stanislaw Griegull, mein Onkelchen, ein ernsthafter Mensch mit langen dünnen Beinen, wurde heimgesucht von einem Unglück ganz besonderer Art. Dies Unglück, um zu geben einen Eindruck von seiner Bedeutung, bestand darin, daß Stanislaw Griegull Geld bekommen sollte - eine Aussicht, die ihn zutiefst bekümmerte, oder, sagen wir mal, fislig machte. Er konnte nicht mehr, wie es seine Gewohnheit war, den Tag verdruseln, er nahm nichts Geräuchertes mehr zu sich, unterhielt sich wenig, grüßte nicht mehr so ausgiebig - mit einem Wort, der bevorstehende Reichtum, wie er's wohl zu tun pflegt, hatte ihn vorzeitig benommen gemacht. Ganz Suleyken, um nicht zu sagen: der ganze Kreis Oletzko, nahm grübelnden Anteil an seinem Mißgeschick, man erwog und überlegte, riet und verwarf, aber der Reichtum war nicht abzuwenden.

Dieser Reichtum, meine Güte, er war gekommen auf einem Weg, den Stanislaw Griegull, mein Onkelchen, nicht übersehen konnte. Er hatte, bitte sehr, nichts Schlimmeres getan als mit einem Viehhändler gewettet über die Vornamen Napoleons, und da die Tatsachen, hol sie der Teufel, Stanislaw Griegull recht gaben, mußte der Viehhändler zahlen.

Als der Tag, an dem der Reichtum hereinbrechen sollte, begann, legte sich Stanislaw Griegull ins Bett und beobachtete, rechtschaffen traurig, den Schneefall. Er lag so, der arme Mann, einen qualvollen Vormittag, als der Briefträger, ein ewig verfrorner Mensch namens Zappka, zu ihm hereinkam, in höflicher Trauer die Geldtasche öffnete und Stanislaw Griegull, meinem Onkelchen, das Geld vorzählte. Er tat es schweigend, in nachdenklicher Bekümmerung, und als er fertig war, trat er ans Bett heran, drückte dem Leidenden die Hand und sprach folgendermaßen:
»Niemand«, sprach er, »Stanislaw Griegull, bleibt auf dieser Welt verschont. Nehmen wir, nur zum Beispiel, den Hasen. Bleibt er verschont? Oder nehmen wir, auch nur zum Beispiel, das Reh. Bleibt es verschont? Und schon gar nicht zu reden von den wilden Schweinen. Es ist, Gevatterchen, ein einziges Leiden in der Welt.«
Stanislaw Griegull, mein Onkelchen, hörte sich die Rede einigermaßen ergriffen an und antwortete so: »Du hast, Hugo Zappka, wunderbar gesprochen. Aber nimm, nur zum Beispiel, den Hasen. Er wird, Gevatterchen, nicht verschont vom Hunger. Aber sein Hunger, bitte schön, bleibt nicht ewig. Der Reichtum, hingegen, er bleibt. Darum werde ich, Ehrenwort, nicht mehr aufstehen.« Nach solchen Worten drehte er sich zur Wand, zog die Decke über den Kopf und schwieg.
Hugo Zappka, in Trauer verbunden, überlegte angestrengt, und während er so überlegte, las er ein Kärtchen nach dem anderen, das er noch auszutra-

gen hatte, und wahrhaftig: die Lektüre inspirierte ihn. Plötzlich, beinahe triumphierend, warf er die Kärtchen in seinen Ledersack, kniff den Leidenden in die Schulter und sagte so: »Ich heiße«, sagte er, »nicht Dr. Sobottka. Darum bin ich kein Kreisphysikus. Aber heilen, Stanislaw Griegull, kann ich dich wie er. Du hast, auf dem Tisch ist's zu sehen, einhundertachtzig Mark, das ist die Krankheit.«
»Sie bleibt«, stöhnte Stanislaw Griegull, mein Onkelchen, und warf sich seufzend herum.
»Das ist«, sagte Zappka, »die Frage. Man könnte so, nur zum Beispiel, für das unerwünschte Geld Bienen einhandeln. Die summen angenehm im Sommer und produzieren Honig.«
»Sie stechen«, rief Stanislaw Griegull.
»Gut«, sagte Zappka, »ich meinte auch nur zum Beispiel. Aber wie wär's, sozusagen, mit einigen Ziegen?«
»Sie stinken«, rief der Kranke.
»Gut, schon gut«, beschwichtigte der Briefträger, sah ratlos durchs Fenster, und unvermutet, in Gedanken an seinen schwierigen Weg, kam ihm die Erleuchtung. Er wies auf den lockeren Schneefall und sprach: »Um diese Zeit«, sprach er, »Stanislaw Griegull, gibt es kein größeres Glück, als mit einem Schlitten und einem Pferdchen dazu, vielleicht für alt gekauft, durch die Wälder zu fahren. Es ist still, man freut sich, die Wege sind hübsch verlassen. - Nun, wie steht es?«
Stanislaw Griegull, nachdem er das gehört hatte, genas augenblicklich, schnappte den Reichtum und genehmigte sich Schlitten und Pferdchen. Die

Summe, man wird es schon gemerkt haben, langte natürlich nicht hin, aber ein Mensch namens Schwalgun, der Verkäufer, war bereit, auf den Rest bis zum Sommer zu warten. So spannte Stanislaw Griegull, über die Maßen zufrieden, das alte nickende Pferd an, stieg in den kurzen Schafspelz und fuhr, sagen wir mal: zur Erholung, den schmalen Waldweg hinauf. Geriet vor Freude natürlich gleich ins Singen, das Onkelchen, sang mal in diese Richtung, mal in jene, hielt Ansprachen vor gewissen Bäumen und lauschte hingegeben dem angenehmen Knirschen der Schlittenkufen.

Na, er fuhr so mindestens ein ganzes Weilchen, bis das alte Pferd nickend stehen blieb, und als Stanislaw Griegull, ziemlich überrascht, nach vorn sah, bemerkte er, unmittelbar vor sich, einen entgegenkommenden Schlitten auf dem engen Weg. Er bemerkte außerdem, daß in dem anderen Schlitten der Viehhändler Kukielka aus Schissomir saß, welchen in der Wette besiegt zu haben er die Ehre hatte. Sie standen sich also, wie gesagt, auf dem sehr schmalen Weg gegenüber, und der erste, der sich ein Wort faßte, war Kukielka. Und er faßte es so: »Ich hoffe, Stanislaw Griegull, das Geld ist angekommen.« Worauf sich mein Onkelchen bemüßigt fühlte zu sagen: »Es fährt bereits spazieren, Heinrich Kukielka. Und, wie man sieht, gleitet es nicht übel.«

Kukielka, ein Gnurpel von Wuchs: worunter zu verstehen ist ein kümmerlicher Mensch, stieg vom Schlitten herab, und ein gleiches tat Stanislaw

Griegull. Man gab sich höflich die Hand, plauderte angemessen, begutachtete Kufen und Beschläge, und dann erstieg jeder seinen Kutschbock. Die Herren sahen sich an, kreuzten über den Rükken ihrer Pferde einen gespannten Blick und warteten. Sie warteten, wie man richtig vermutet hat, darauf, daß der andere langsam zurückfahren werde, denn vorbeifahren, das war bei der Enge des Waldwegs unmöglich.

Schließlich rief Heinrich Kukielka: »Das Rückwärtsfahren, Stanislaw Griegull, ist gar nicht so schwer. Man muß die Zügel nur trennen, dann geht es langsam und sicher.«

»Ich bin«, rief Stanislaw Griegull, mein Onkelchen, »erfreut, daß du dich auskennst. Dann kannst du, wenn ich bitten darf, gleich anfangen, rückwärts zu fahren. Ich komme ganz langsam nach.«

Kukielka dachte nach, und dann sprach er so: »Ich habe«, sprach er, »die Wette ehrlich bezahlt. Daher kann ich wohl bitten, daß du rückwärts fährst und mir Platz machst.«

»Und ich«, sagte Stanislaw Griegull, ohne nachzudenken, »ich habe, wie sich's gezeigt hat, die Wette gewonnen. Daher kann ich wohl, ohne daß man gnaddrig wird, beanspruchen, daß man mir Platz macht.«

»Also«, sprach der Gnurpel Kukielka, »bleiben wir hier.« Hatte auch gleich, der verkümmerte Mensch, eine Zeitung zur Hand, schlug auf und blätterte angeregt, und dann kniffte er sie wie ein geübter Leser und vertiefte sich in einen Text.

Onkel Stanislaw, wer wird es schon anders er-

warten, suchte auch nach etwas Lesbarem, und als er, was vorherzusehen war, nichts fand, räusperte er sich mehrfach und begann, um sich die Zeit zu vertreiben, laut zu singen. So sang und las man sich an; man fühlte sich wohl unter kurzem Schafspelz und zeigte Geduld.

Die Herren saßen so, singend und lesend, einige Stunden, als, durch den intensiven Gesang angelockt, zwei Waldarbeiter erschienen. Da sie aus Suleyken stammten, war Stanislaw Griegull ihnen wohlbekannt. Sie traten an ihn heran, begrüßten ihn und ließen sich erzählen, worum es hier ging. Und nachdem sie alles erfahren hatten, beschworen sie, wie man sagt, Onkel Stanislaw und erklärten, daß, wenn er den Weg freigäbe, Suleyken eine komplette Schlacht verloren habe. Er solle Mut zeigen und Geduld, man werde ihm beistehen. Das sagten die Waldarbeiter, und dann trollten sie sich.

Unterdessen, wie könnte es anders sein, erschien ein grünbejoppter Mensch auf der Gegenseite, erschien und war niemand anderes als der Forstgehilfe von Schissomir. Natürlich hatte das Herrchen nichts zu tun, ließ sich also ausgedehnt aufklären von dem Gnurpel Kukielka und empfahl ihm zum Schluß, Geduld zu zeigen. Schissomir, sagte er lauthin, sei reich. Man werde ihm Zeitungen schicken und Käse und, wo es vonnöten sein sollte, ein eisernes Öfchen mit Koks.

Was sich im folgenden herausstellte, war das, was jeder Masure erhält als Wiegengeschenk: also Treue. Denn kaum war verflossen die übliche Zeit, als hüben und drüben blubbernde Menschen ankamen. Ganz Suleyken umringte Stanislaw Griegull, das Onkelchen, ganz Schissomir Kukielka, den Gnurpel.

Alle, die gekommen waren, trugen was in den Händen: getrocknetes Obst, Rauchfleisch, Gläser mit Gurken und Honig, Gesalzenes, Töpfe mit Sauerkohl, Bohnen, Johannisbeermarmelade, kalte Plinsen, Erbsen und Kohlrouladen. Und Seite und Gegenseite fütterte ihren Liebling und Helden, streichelte und massierte ihn, drückte ihm die Hand und empfahl, keinen Meter nachzugeben. Auch die Pferde, versteht sich, wurden nicht vergessen, erhielten Hafer und Fußlappen und nahmen nickend zahllose Liebkosungen zur Kenntnis.

Nachts, selbstverständlich, kehrten die aus Schissomir und die aus Suleyken zurück zu ihren Fami-

lien, und auf der Walstatt der Geduld hob erneutes Ringen an. Einer las, der andere sang. Gelegentlich - je länger der Kampf dauerte, desto öfter - verfiel man ins Plaudern, tauschte Leckerbissen aus, die der sorgende Nachschub gebracht hatte, und munterte sich beredsam auf, falls einer von ihnen nachgeben wollte.

Und die Kämpfer der Geduld harrten aus.

Sie standen so - na, wie lange werden sie gestanden haben? - Genaues kann niemand sagen. Aber gewonnen hat eigentlich keiner. Viel später, wie man hörte, wurde quer über die Walstatt eine Kleinbahn gelegt, und bei dieser Gelegenheit, Ehrenwort, wurden die Herren mit einem Kran fortgeschafft. Doch selbst dabei, wie verbürgt ist, baten sie sich aus, nicht rückwärts fortgeschafft zu werden. Und die Kleinbahn, über die noch allerhand zu sagen sein wird, konnte sich nicht genug tun, diesen Wunsch zu respektieren.

DIE NEUNTE
DER MASURISCHEN GESCHICHTEN

So war es mit dem Zirkus

Wie der Zirkus mit vollem Namen hieß, daran kann ich mich nicht mehr genau erinnern, aber er muß so ähnlich geheißen haben wie ›Anita Schiebukats Wanderbühne‹. War natürlich ein Ereignis ersten Ranges, dieser Zirkus, was man schon daraus entnehmen kann, daß es schulfrei gab für die Suleyker Jugend, daß die Arbeit auf den Feldern ruhte und in keinem Häuschen von etwas anderem gesprochen wurde als von ihm, dem Zirkus. Dabei war er gar nicht mal so groß; zumindest fand er Platz auf der Feuerwehrwiese, baute sich da ein Zeltchen und stellte seine Wagen hübsch in der Nähe auf.

Alles ging schnell und lautlos, und ehe sich die Suleyker Gesellschaft versah, war sie schon von Anita Schiebukats Wanderbühne gebeten, die erste Vorstellung zu besuchen. Eine Kapelle spielte werbende Weisen, ein alter Elefant wurde herumgeführt, vielsagende Geräusche lagen in der Luft - das Zeltchen füllte sich alsbald. Man brachte sich Eingemachtes mit, Salzgurken, Pellkartoffeln, geräucherte Fische, man begrüßte einander, promenierte ein Weilchen auf der Wiese und betrat dann, in plaudernden Gruppen, den Ort der Veranstaltung.

So. Und dann begrüßte Anita Schiebukat, ein kräftiges, wohlgenährtes Weibchen, die Gesellschaft höchstpersönlich, fand annehmbare Schmeicheleien, diese Person, ließ sich beklatschen und verschwand. Aber bevor sie verschwand, rief sie noch: »Es ist«, rief sie, »eröffnet«, und in selbigem Augenblick ging es los.

Da erschien also zunächst ein finsterer, halbnackter Mensch in der Arena, blieb stehen, glubschte düster nach allen Seiten, reckte sich und öffnete ein Kästchen. Was in dem Kästchen drin war? Was wird schon drin gewesen sein - Messer; lang, scharf und, wie man zugeben wird, gefährlich.

Aber was tat dieser halbnackte, drohende Sonderling: er nahm sich die Messer, eins, zwei, drei, fünf Messer, rief mit einer schrillen Stimme die Anita Schiebukat, und wahrhaftig, das wohlgenährte Weibchen stellte sich mit dem Rücken gegen eine Bretterwand. Aber nun passierte es: dieser Mensch schmiß seine Messer nach Anita Schiebukat, alle fünf sausten ins Holz, aber getroffen, gottlob, hat keines. Die Suleyker Gesellschaft stöhnte vor Entsetzen, verbarg das Gesicht hinter den Händen, wimmerte, und gelegentlich waren auch kleine Angstrufe zu hören.

Damit nicht genug. Dieser halbnackte, schwitzende Mensch zog die Messer aus dem Holz heraus, trat ein paar Schrittchen zurück und begann, die scharfen Dinger wieder nach dem Weibchen zu schleudern, so unzart wie möglich.

Na, da erwachte endlich bei einigen Suleyker Herren der Sinn für das, was erlaubt ist. Und am vollkommensten erwachte er bei dem riesigen Flußfischer Valentin Zoppek. Der stand einfach auf von seinem Bänkchen, trat in die Arena, ging seelenruhig zu dem Menschen mit den Messern hin und sagte: »Dies Frauchen«, sagte er, »hat so freundliche Worte gefunden zur Begrüßung. Warum schmeißt du sie, hol's der Teufel, mit Messern? Noch ein Messer, sag' ich, und du bekommst es mit mir zu tun. Bei uns wird nicht mit Messern auf Menschen geworfen. Hab' ich richtig gesprochen?«

»Richtig«, murmelte die Suleyker Gesellschaft.

Anita Schiebukat kam schweratmig herbei, erkundigte sich rasch, erfaßte die Lage zur Genüge und gebot dem halbnackten Menschen, nach hinten zu gehen, - was er auch, begleitet vom Murren der Gesellschaft, tat. Er hätte nicht so mir nichts, dir nichts verschwinden können, wenn Anita Schiebukat nicht bereits wieder ein sorgloses Lächeln verströmt hätte, womit sie jedermann beruhigte.

Mit demselben Lächeln kündigte sich sodann ein verschmitztes buckliges Herrchen an, das, in Frack und Zylinder, in die Arena hüpfte, Kußhände in die Gesellschaft warf und auf Beifall wartete, bevor es überhaupt etwas gezeigt hatte. Plötzlich aber, ehe ihm jemand folgen konnte, griff dieser Bucklige schnell in die Suleyker Luft, und was er in der Hand hielt: es war ein mild duftender Fliederstrauß. Übermäßige Laute des Staunens erklangen im Zeltchen, man warf ihm in spontaner Begeisterung Salzgurken zu, die er geschickt auffing, auch Heringe flogen ihm zu, ganz zu schweigen von Herzen. Er sammelte alles ruhig ein.

Dann stellte er einen Tisch hin, auf den Tisch ein Kistchen, und zum Schluß verfügte er sich selbst in dies Kistchen hinein und schloß es von innen. Was bleibt mir zu sagen: dies Kistchen fiel auf einmal auseinander, und was fehlte, es war das verschmitzte, bucklige Herrchen. Schon wollten die Briefträger Zappka und der jüngere Urmoneit, von Sorge erfüllt, in die Arena steigen, als das zaubernde Herrchen, weiß der Kuckuck, trompeteblasend auf dem Balkon der Kapelle auftauchte, sich an einem Strick herunterließ und prasselnden Beifall entgegennahm. Ermutigt durch den ausschweifenden Beifall, trat der Zauberer überraschend an den Rand der Arena, langte meinem Onkelchen, dem Stanislaw Griegull, unter die Weste, und zum Vorschein kam - ja, wer weiß wohl, was zum Vorschein kam? Ein Hase natürlich, zappelnd und ganz lebendig. Die Suleyker, sie waren mit Sprachlosigkeit geschlagen, als solches geschah, und mein Onkelchen, Ehrenwort, erhob sich und begann, der Reihe nach seine Kleidungsstücke abzulegen. Hoffte natürlich, noch mehr Hasen zu finden, dachte sogar an ein fettes Erpelchen oder an einen Hahn, der aus der Unterhose flattern möchte. Aber nichts dergleichen geschah. So zog sich mein Onkel unter prallem Schweigen, wieder an, und der Beifall wäre auch prompt gekommen, wenn Stanislaw Griegull nicht plötzlich das Wort ergriffen hätte. Er wandte sich direkt an das zaubernde Herrchen und sprach folgendermaßen: »Ich sehe«, sprach er, »daß der Hase nach hinten gereicht wird. Dieser Hase aber ist mein Eigentum.

Denn, wie man gesehen hat, wohnte er an meinem Leib. Also möchte ich bitten um die sofortige Auslieferung des nämlichen Hasen.«

Jetzt, wirklich und wahrhaftig, wurde die Stille - na, sagen wir mal: beklemmend. Die Gesellschaft schwankte einen Augenblick, das zaubernde Herrchen äugte bestürzt auf den Redner. Aber es fing sich gleich, ging auf mein Onkelchen zu und sagte: »Wo«, sagte er, »gibt es Hasen, die zu leben pflegen unter der Weste eines Herrn? Es war doch, wie man gesehen hat, alles nur Zauberei, sozusagen Simsalabim.«

»Das ist«, sagte mein Onkelchen, »einerlei. Das Häschen hat gewohnt unter meiner Weste, es hat gezappelt, es war lebendig. Und so möchte ich beantragen die Auslieferung des Hasen. Er ist mein Eigentum.« Blickte sich, mein Onkelchen, schnell um zu dem Gendarmen, und als das Gesetz namens Schneppat nickte, forderte er mit unnachgiebiger

Stimme: »Aber schnell, wenn ich bitten darf.« So erhielt Stanislaw Griegull den Hasen, setzte ihn auf seinen Schoß, und die Vorstellung ging ohne Streit weiter.

Wie es weiterging? Nun, es wurde hereingetragen eine Waschwanne, in welcher, die Griesgrämigkeit in Person, ein alter, fetter Seehund lag, welcher auf den Namen Rachull hörte, der Unersättliche. An der Waschwanne hing ein großes Plakat, auf dem stand: »Es wird gebeten, dem Seehund nicht zu zergen« - was soviel heißt wie ärgern oder übel mitspielen. Dergleichen kam jedoch auch keinem der Gesellschaft in den Sinn; man beklatschte den Seehund lediglich, wogegen dieser nichts zu haben schien - wenigstens ließ er sich, ohne daß er die Wanne verlassen hätte, anstandslos wieder hinaustragen.

Nachdem er weg war, trat wieder das wohlgenährte Weibchen Anita Schiebukat in die Arena, streifte meinen Onkel mit einem sonderbaren Blick und verkündete: »Jetzt wird auftreten ein Mann namens Bosniak. Er ißt Eisenstangen zum Frühstück und trinkt zwölf Liter Milch am Abend. Seine Kraft ist grenzenlos. Wer mit ihm ringen möchte zwei Minuten und dabei stehenbleibt, bekommt den Eintritt zurück und drei Mark zwanzig außerdem!«

Sie trat zur Seite, und hereingewogt kam dieser Bosniak; ging so, daß die Bänke zitterten, zeigte seine Zähne, hieb sich auf seinen kleinen Kopf und tat alles, um einen Eindruck zu hinterlassen von seltener Fürchterlichkeit. Niemand wagte, gegen ihn aufzustehen. Niemand?

Doch, da hinten meldete sich ja einer, war nur so dünn, daß man ihn einfach übersah. Wer es war, der sich da meldete und ein unbegreifliches Beispiel von Tollkühnheit lieferte? Mein Oheim, der Schuster Karl Kuckuck. Wie gelähmt saßen die Suleyker da, als er an ihnen vorbeiging; sie verfolgten ihn mit wehmütigen, abschiednehmenden Blicken, aber keiner fand sich, der ihn in seinem Entschluß beeinflußt hätte.

Also er trippelte in die Arena, schaute den Bosniak sanft und mitleidig an und sagte: »Ich erwarte«, sagte er, »den Angriff.« Sofort stürmte dieser ungeheure Mensch mit dem kleinen Kopf auf ihn zu, breitete die Arme aus, schnaubte, schlug die Arme wieder zusammen, aber Karl Kuckuck war längst weggetaucht und befand sich im Rücken des Eisenfressers. Dieser, im Glauben, den Schuster vor seiner Brust zu haben, drückte dergestalt, daß ihm die Tränen in die Augen traten - was er drückte, es war niemand anderes, als er selbst. Na, das wiederholte sich so einige Male - wie soll man auch ein Stückchen Schustergarn, wie meinen Oheim, genau zu fassen kriegen -, und am Ende war dieser Bosniak dergestalt erschöpft, daß er sich schnaufend auf die Erde setzte und mit einem Eimer Wasser zur Besinnung gebracht werden mußte. Karl Kuckuck hingegen schlängelte sich zur Kasse, ließ sich das Geld auszahlen und schlängelte sich mit seinen Verwandten nach Hause.

So ungefähr ging es, wenn ich mich richtig erinnert habe, Anita Schiebukats Wanderbühne in Suleyken. Wie übrigens später zu erfahren war, ist danach lange Zeit kein Zirkus mehr in unser Dorf gekommen - wie man wissen wollte, aus Furcht vor dem allzu aufgeklärten Publikum.

DIE ZEHNTE
DER MASURISCHEN GESCHICHTEN

Der rasende Schuster

Viel Seltsames hat die gleichmütige Geschichte in Suleyken erlebt - nichts aber kommt an Seltsamkeit gleich jenem Streitfall, den mein Oheim, der Schuster Karl Kuckuck, mit einem Menschen namens Zoppek hatte. Kennt vielleicht schon jemand die Geschichte? Gut, dann will ich sie erzählen.

Karl Kuckuck, mein Oheim, ein schweigsames kleines Herrchen mit Trichterbrust und ungleich langen Armen, hatte gerade den Hammer weggelegt, als der Streit, höchst persönlich, auch schon zu ihm hereinspaziert kam. Dieser Streit kam herein auf den kolossalen Füßen des Valentin Zoppek, eines Flußfischers, der außer Aalen, Welsen, und Barschen auch allerhand sonderbare Gedanken fing.

Kam also, wie gesagt, herein, dieser Zoppek, und sprach folgendermaßen: »Ich bin«, sprach er, »Karl Kuckuck, gekommen, um dir Mitteilung zu machen von einigen Überlegungen. Beispielsweise habe ich mir überlegt, daß die Ritterchen, wenn sie gehabt hätten Fahrräder, noch weiter nach Rußland gefahren wären. Demgemäß wäre manches anders gekommen, als es gekommen ist. Hab' ich richtig gesprochen?«

Der Schuster, ungemein verblüfft über solche weltpolitische Betrachtung, sah an Zoppek hinauf,

dachte nach, und nachdem er zu Ende gedacht hatte, sprach er so: »Du bist, Valentin Zoppek, der beste Schwimmer von Suleyken, wenigstens, wo es sich handelt um das Schwimmen auf dem natürlichen Flusse. Das ist bekannt und erwiesen. Sobald du aber zu schwimmen versuchst auf dem Flusse der Gedanken, ersäufst du jedesmal. Denn ein Fahrrad, bitte schön, hat mitunter eine Panne. Und woher, möcht' ich fragen, willst du wissen, ob die Ritter sich verstanden hätten auf das Flicken eines Reifens? Ich glaube, es wäre nichts anders gekommen.«
Na, was soll ich viel sagen - ein Wort ergibt ohnehin ein anderes -: die Herren gerieten darob in ein Gespräch, aus dem Gespräch in eine Zankerei und aus der Zankerei in jenen berühmten Streit. Schließlich, dicht unterhalb des Gipfels - denn vom Gipfel wird noch die Rede sein - ergriff Karl Kuckuck, mein Oheim, den Hammer, rannte auf die Lucht, das ist: der Boden, und trat vor sein Brett. Dies Brett, es diente ihm dazu, seinen Ärger regelrecht in die Wand zu schlagen: nahm sich, mein Oheim, jedesmal einen fünfzolligen Nagel, wenn er sich geärgert hatte, und schlug ihn stöhnend, fuchtelnd und schimpfend in besagtes Brett, wonach er wieder in seine berühmte, schweigsame Freundlichkeit verfiel. Aber diesmal, hol's der Teufel, hatte sich alles verbündet gegen meinen aufgebrachten, hohlbrüstigen Verwandten. Erstens war kein Nagel da, zweitens war das Brett voll, und drittens, um nichts auszulassen von der Tragödie, saß der Hammer nur lose auf dem Stiel -

Umstände, die den sonst schweigsamen und durchaus besonnenen Schuster zur Tollkühnheit trieben, zu einzigartiger Raserei.
Erst einmal raste er hinab zu jenem Valentin Zoppek, der unbekümmert auf dem Schusterschemel Platz genommen hatte, schleuderte ihm den Hammer vor die Füße und war vermessen genug, folgendes zu erklären: »In Zweifelsfällen«, so erklärte er, »können wir entscheiden lassen die Wahrheit. Diese Wahrheit, sie läßt sich finden in jedem Fall, auch in unserm. Du sagst, es wäre alles anders gekommen, wenn die Ritter Fahrräder gehabt hätten. Ich sage, nichts wäre anders gekommen. Gut. Und weil man zu sagen pflegt, daß die Wahrheit ist unbestechlich, wollen wir sie entscheiden lassen. Ich schlage vor, wir schwimmen um die Wette.«
Eine ungeheure Pause trat ein, während welcher mein Oheim, der rasende Schuster, wohl begriff, daß er durch seinen Vorschlag die Wahrheit geradezu herausgefordert hatte, denn es gab, wie gesagt, in ganz Suleyken keinen herrlicheren Schwimmer als den Valentin Zoppek. Aber der Schuster erläuterte in seiner Raserei noch weiter: »Wenn die Wahrheit«, so erläuterte er, »dich gewinnen läßt, so hast du recht mit deiner Ansicht. Wenn die Wahrheit aber mich zuerst durchs Ziel schwimmen läßt - nun, wir tun gut abzuwarten.«
So sprach er, und Zoppek, der riesige Mensch, stand auf, lachte einmal verächtlich, lachte gerade so, als ob er die Wahrheit schon in seinem Netz hätte, und empfahl sich bis zum Wettkampf.

Karl Kuckuck, mein Oheim, legte sich ins Bett und empfing Besuche, empfing und ließ sich bedauern, und auf alle übermäßigen Tröstungen versicherte er nichts als: »Wir tun gut abzuwarten.« Er wurde blasser mit jedem Tag, fühlte sich auch durchaus nicht wohl, das zierliche Herrchen, zumal der Wettkampf immer näher kam, und die Zeit tat das, was sie immer tut: sie verstrich.

Sie verstrich bis zu einem freundlichen Sonntag im Juli - und damit kommen wir zum Gipfel: bereits in unschuldiger Tagesfrühe versammelte sich die Suleyker Gesellschaft unterhalb der Pferdetränke am Fluß, um Zeuge zu sein des Schwimmwettkampfes im Zeichen der Wahrheit. Man begrüßte sich ausgedehnt, hielt Ausschau nach angenehmen Plätzen, stellte Vermutungen an, aß Salzgurken, bedachte und erwog: es war, mithin, ein beträchtliches Gewoge und Geraune unterhalb der Pferdetränke.

Das Gewoge: es legte sich, das Geraune: es unterblieb, als, kurz hintereinander, die streitenden Schwimmer auf die Birkenholzbrücke kamen - Zoppek als erster: geruhsam, siegessicher, mit behäbigem Schritt, und dahinter, trippelnd, blaß und aufgescheucht: Karl Kuckuck mit den ungleichen Armen.

Die Gesellschaft erhob sich - sie hatte sich, da sie den Streit kannte, natürlich in zwei Parteien gespalten -, und die einen jubelten Zoppek zu, die anderen Kuckuck, dem Schuster.

Und dann folgte, was ich nennen möchte die Adamisierung: Zoppek entkleidete sich rasch, er war nur, dieser Mensch, mit Hemd und einer alten Hose bekleidet und stand somit in wenigen Sekunden bereit. Und er hatte, wie seine Gegner bemerkten, nichts anderes im Sinn, als mit seiner Brust zu prahlen und sich zu drehen und zu scharwenzeln.

Na, und dann zog sich Kuckuck aus, und aller Augen richteten sich auf ihn. Aber aller Augen, Ehrenwort, kamen überhaupt nicht von ihm weg, denn was der kleine, rasende Schuster auf dem Leibe trug: es war ein halbes Wäschegeschäft. Niemand wird es für möglich halten, doch es dauerte, knapp gerechnet, eine halbe Stunde, ehe mein zartwüchsiger Oheim sich ausgewickelt hatte. Zum Vorschein kamen ungefähr diese Dinge: Joppe, Jacke, Strickjacke, Oberhemd, Unterhemd, Netz-

hemd, diverse Leibbinden, Brustschoner, Hüftwärmer, Lungenwärmer, und das alles, wie man sich bereits denkt, diente nur zur Bedeckung der oberen Oheimhälfte. Was er unten trug: das aufzuzählen würde zwei Seiten in Anspruch nehmen, aber ganz klein gedruckt. Nun, die Gesellschaft verfolgte mit zunehmender, atemloser Spannung die Entkleidung, und ein Raunen der Betroffenheit lief den Fluß entlang, als Karl Kuckuck, der Schuster, in seiner kreatürlichen Makellosigkeit und unbefleckten Weiße auf dem Birkenholzbrückchen stand. Betroffenheit deshalb, weil mein Oheim mit den ungleichen Armen dünn war wie das Garn, das er zu verwenden pflegte. Schon wurden Meinungen laut über ungleiche Voraussetzungen, doch der tobende Schuster verbat sich jegliches Mitleid und rief in einigermaßen drohendem Ton: »Wir tun gut abzuwarten.«
So, und jetzt beginnt es: Ludwig Karnickel, der Gastwirt, erschien hinter den beiden und ermahnte sie, sich weder zu behindern noch zu belästigen. Dann ließ er sie an den Rand des Birkenholzbrückchens treten, kommandierte etwas, und plötzlich sah die Gesellschaft gewissermaßen einen Körper und ein Stück Schusterschnur durch die Luft fliegen, hörte einen zirpenden und einen handfesten Aufschlag im Wasser, und vorn - ja, wer schwamm vorn? Valentin Zoppek natürlich. Hatte jetzt schon drei Meter Vorsprung, dieser Mensch, auch drei Meter Vorsprung an Wahrheit, und seine Partei: wer kann den Radau schildern, den seine Partei machte?

Unterdessen strampelte der rasende Schuster in Zoppeks Kielwasser, dünn und spitz und mit ängstlich emporgehaltenem Gesicht, er mühte sich ab, wie er nur konnte, dachte in verzweifelter Wut an Ratschläge, die ihm Freunde erteilt hatten, - aber es ging nicht, er blieb immer weiter zurück. Zu seiner Lähmung trug auch noch bei, daß Zoppek sich einmal umdrehte, um den Vorsprung abzuschätzen, und dabei ließ er es sich nicht nehmen, seinen Rivalen mit nachsichtiger Verachtung anzuschauen. Zwölf Meter, vierzehn Meter, achtzehn Meter war mein Oheim schon von Zoppek, dem Flußfischer, und damit auch von der Wahrheit entfernt. Er schwamm mit dem Mut des Besessenen, schwamm und ließ sich durch nichts aufhalten in seiner hoffnungslosen Lage - nicht einmal durch die Tatsache, daß er, wegen der ungleichen Arme, die Neigung zeigte, immer nach links auszuscheren. Der Sieger, wie die Gesellschaft erkannte, stand fest.

Aber plötzlich - wer hätte die Wahrheit schon im Verdacht gehabt -, plötzlich trat ein Ereignis ein, das man bezeichnen könnte als die ausgleichende Gerechtigkeit: Karl Kuckuck, leicht heimgesucht von beginnendem Kräfteschwund, spürte unversehens eine fremdartige Berührung an der Schulter - ein Vorkommnis, das ihm gemeinhin nichts ausgemacht hätte. Aber diese Berührung vollzog sich mit einem Roßapfel, der an der Pferdetränke herumzuschwimmen für sein Naturrecht hielt. Er war von so staunenswertem Umfang, daß Karl Kuckuck, mein Oheim, auf nichts anderes sann als auf Flucht. Panisch vorwärtsgetrieben, entwickelte er unerwartet neue Energien, säuselte auf einmal wie ein Aal durch das Wasser, schlängelte sich hierhin und dahin, um den lästigen Berührungen ein Ende zu machen. Aber der Roßapfel, einmal in Bewegung geraten, hielt offenbar nichts davon, abgeschüttelt zu werden; er setzte sich dem Karl Kuckuck flüssig auf die Fersen und verfolgte ihn zäh und anmutig in Strudeln und Wirbeln.
Der Schuster, er spürte das Entsetzen aus Roßdung am Hals, an der Schulter, an den Füßen und sogar an den ungleichen Armen, und er schlängelte sich panisch voran, um den ballrunden Verfolger abzuschütteln. Dabei, das wird man sich schon gedacht haben, holte er mächtig auf, machte Meter um Meter des Vorsprungs zuschanden und lag, wer wird sich noch wundern, bald auf gleicher Höhe mit Valentin Zoppek, dem Fischer. Dieser glubschte entsetzt, die Gesellschaft rief, trampelte und winkte angesichts dieser unheimlichen Über-

raschung, und alles, was Beine hatte, lief zum Ziel. Lief hin und kam gerade noch zur rechten Zeit, um zu sehen, wie Karl Kuckuck, mein Oheim, und dieser Zoppek Schulter an Schulter, Nase neben Nase durch das Ziel schwammen.

Ein ohrenbetäubender Jubel setzte ein, die streitenden Schwimmer wurden auf den Schultern zum Birkenholzbrückchen getragen, und hier kam es zu ergreifender Versöhnung. Die Herren umarmten sich, eine Photographie wurde angefertigt, und zum Schluß sprach Valentin Zoppek: »Mir scheint«, sprach er, »wie das Ergebnis lautet, stimmt weder deine Meinung, Karl Kuckuck, noch meine Meinung. Die Wahrheit will nichts von uns wissen.« Worauf mein Oheim, schon wieder etwas ärgerlich, sagte: »Nein. Im richtigen Augenblick, Valentin Zoppek, schickt die Wahrheit ihren Kinderchen, was sie brauchen. Mir scheint's, wir haben beide recht.«

DIE ELFTE
DER MASURISCHEN GESCHICHTEN

Die Kunst, einen Hahn zu fangen

Am frühen Nachmittag erwachte Titus Anatol Plock, Besitzer einer neuen Hose, und hob lauschend den Kopf. Er lag zwischen den Brombeeren hinter der Scheune, lag da an einem warmen, windstillen Plätzchen, wo die Gefahr, gesehen zu werden, nicht allzu groß war. Sobald er gesehen wurde, das wußte er, gab es auch etwas zu tun für ihn, und darum wählte er seine Verstecke mit Umsicht.

Er war, offen gesagt, ziemlich erschrocken an diesem Nachmittag, und als die Stimme seinen Schlaf unterbrach, fürchtete er schon das Schlimmste. Aber die Stimme, die ihn geweckt hatte, gehörte Gott sei Dank nicht seiner Mutter, Jadwiga Plock, sondern einem Mann, den er in Suleyken noch nicht gesehen hatte. Es war ein freundlich aussehender, unrasierter Mann, der zwischen den Brombeeren stand; er war schon älter, war barfuß und trug ein kragenloses Hemd und in einer Hand ein riesiges, rotes Taschentuch. Er hatte Titus noch nicht entdeckt und sprach mit süßer, werbender Stimme auf ein Wesen ein, das sich am Boden befinden mußte.

Dies Wesen, wie Titus gleich sah, war der einzige Hahn seiner Mutter, ein ausnehmend kräftiges Tier und schön dazu. Und zu diesem Hahn sprach der Fremde etwa in folgender Weise:

»Du«, sprach er, »mein Verehrter, wirst jedem leid tun, der ein fühlendes Herz hat. Schön, wie du bist, warten zu viele Gefahren auf dich in der Welt. Der Fuchs, beispielsweise, oder der Iltis. Keinen Stall gibt es, den der Iltis nicht öffnet. Oder stell dir vor, du kommst unter einen Wagen mit Weizen. Ein Pferd zertritt dich. Zertritt deine ganze Schönheit. Sag selbst: lohnt es sich noch bei diesen Aussichten zu leben?«
Unter solchen Worten trieb er den Hahn in eine Richtung, wo Scheune und Stall zusammenstießen und eine Ecke bildeten. Er wurde dabei nicht ungeduldig; selbst als der Hahn, die Klemme witternd, nach einer Seite auszubrechen versuchte, behielt er die Ruhe, flötete eine Schmeichelei und brachte das Tierchen, indem er es mit dem riesigen Taschentuch erschreckte, auf die gewünschte Bahn.
Titus, achter Sohn der Jadwiga Plock, sah ihm gespannt zu. Er zweifelte daran, daß es dem Mann gelingen werde, Krull, den Hahn, zu fangen. Krull: das heißt im Masurischen König, und dieser Name war dem Hahn gegeben worden, damit er sich in jeder Hinsicht als König erweise. Man wird, dachte Titus, ja sehen.
Der Mann, die Arme ausgebreitet, ging langsam gegen die Ecke vor, ohne Rücksicht auf Ranken, die sich im Stoff seiner Hose festsetzten und ihm zu sagen schienen: Mach's nicht so schnell. Doch der Mann achtete nicht darauf, er riß sich vielmehr gewaltsam los und hatte jetzt nur Augen für Krull. Der wurde immer nervöser, gackelte aufgeregt,

tuckte unwillig, denn er war sich über die Schmeicheleien vollauf im klaren. Dem barfüßigen Herrn, weiß Gott, gelang es, Krull, den König des Komposts, in erwähnte Ecke zu drängen, die durch Stall und Scheune gebildet wurde, und nun legte er das Taschentuch auf die Erde und seine Hände bewegten sich wie eine Kneifzange auf den Hahn zu, genauer gesagt, auf den Hals des Hahnes. Der Hahn, hol's der Teufel, blickte zornig und rot, wand sich hierhin, wand sich dorthin, derweil die Hände schon zum Königsmord unterwegs waren. Aber plötzlich, ein Schauer von Wonne durchdrang Titus, plötzlich schrie der Hahn auf, flatterte steil empor, Federn flogen, und dann landete Krull in den Brombeeren. Er hatte seinen Attentäter überflogen, ihm, bei steilem Aufstieg, ins Gesicht geklatscht, und das Gackeln, das jetzt erklang, hörte sich an wie eitel Genugtuung, wie Warnung vor einer neuen Lektion.

Der Mann, indes, prüfte kurz, ob die Luft rein wäre, nahm sein Taschentuch auf, rieb, da er offenbar dazu genötigt war, sein Auge und sprach zu Krull folgendermaßen: »Du«, sprach er und ging dabei auf ihn zu, »du lahmer Satan von einem Hahn, falsch bist du, blöde, kannst nichts, tust nichts, nicht einmal ein Volk hast du - und gehorchen willst du auch nicht. So etwas wie dich, Ehrenwort, sollte man nicht ansehen, Luft bist du, pfft, reine Luft, und Mitleid verdienst du schon gar nicht. Was ist dabei, wenn der Iltis dich holt? Gar nichts! Was ist dabei, wenn du unter einen Wagen mit Weizen kommst? Erst recht nichts!

Nicht einmal als Braten taugst du zu etwas, so mager und blöd bist du. Blas dich nicht auf und bild dir nichts ein, mich interessierst du überhaupt nicht.« Um die Verachtung, die tief empfundene, noch durch eine Geste zu unterstreichen, warf der barfüßige Herr sein Taschentuch nach dem Hahn, doch: wer ist großzügig genug, das zu glauben, in diesem Augenblick, nachdem er lautlos den Anklagen gelauscht hatte, duckte sich Krull, spreizte sich, als ob er darauf wartete, gegriffen zu werden, und der Herr stand wie versteinert da. Als er sozusagen erweichte - es dauerte nicht lang -, bückte er sich schnell, packte Krull, schlug ihn mit staunenswerter Geläufigkeit in das riesige Taschentuch ein, äugte kurz und wollte hinüber zur Straße.

Doch da erhob sich Titus, er ging, ein Knabe von dreizehn Jahren, auf den Fremden zu und sagte: »Ich suche«, sagte er, »Herrchen, den Hahn meiner Mutter, Jadwiga Plock.«

»Ja«, sagte der Mann, und über sein Gesicht flatterten Gedanken wie kleine Vögel, dann hob er das Taschentuch hoch und sagte: »Ich glaube, das ist er. Ich habe ihn nur für den Augenblick in Sicherheit gebracht. Denn ich erkannte, Ehrenwort, einen Iltis zwischen den Brombeeren, der das Hähnchen beschlich. Vielleicht zeigst du mir den Hof, Jungchen, auf den dieser Hahn gehört. Ich möchte ihn gern in Sicherheit wissen.«

DIE ZWÖLFTE
DER MASURISCHEN GESCHICHTEN

Eine Kleinbahn namens Popp

Wovon soll ich erzählen zuerst? Von der Einweihung? Gut, von der Einweihung. Sie fand statt, wie verbürgt ist, an einem unschuldigen Frühlingstag zu Füßen der Suleyker Höhen, worunter man sich vorzustellen hat ein ansprechendes Hügelchen namens Goronzä Gora, was soviel heißt wie: Heißer Berg.
Der Tag, wie gesagt, war schön. Allerhand bunte Käferchen torkelten durch das Gras, die Bachstelzen am Fluß rannten um die Wette, und die berühmten Suleyker Schafe verzeipelten vor lauter Übermut ihre Ketten.
Eingeweiht sollte werden - das ist schon bekannt - die Kleinbahn von Suleyken über Schissomir, Sybba, Borsch, Sunowken nach Striegeldorf.
So eine Einweihung, man wird es zugeben, ist ein Akt voll tiefer Bedeutung. Ob geladen oder nicht geladen, die Gesellschaft von Suleyken versammelte sich auf dem Bahnsteig, man begrüßte einander mit ausdauernder Höflichkeit, erkundigte sich nach den Kinderchen, der Großmutter, dem Tantchen und dem Onkelchen, und dann machte man sich gemeinsam daran, die Kleinbahn zu inspizieren.
Sie war neu und braun. Stand mit ihren Rädern auf den Schienen, diese Kleinbahn, hatte drei Wa-

gen, eine Lokomotive, sah ganz nach was aus. Die Lokomotive, wie es ihre Art ist, qualmte heiß vor sich hin - womit gezeigt werden sollte, daß sie unter Dampf stand -, und oben, zwischen allerhand Messingrädchen und Hebeln, stand ein Mensch namens Dziobek, stand da hochmütig herum und ließ sich bewundern.

Na, die Suleyker Gesellschaft prüfte alles genau, wimmelte durcheinander, klopfte, schraubte, drehte, machte hier was auf und da was, roch und schimpfte, stieß Laute der Verwunderung aus oder seltsame Rufe der Angst; auch Jubel konnte man hören.

Bis plötzlich ein uniformiertes Herrchen aus der Station kam, eine Glocke schwang und sich mit ihrer Hilfe Gehör verschaffte. Die Gesellschaft ordnete sich allmählich. Der Herr mit der Glocke winkte einmal zur Station, und wer kam heraus?

Niemand anders als die Witwe Amanda Popp, ein munteres, schwerhöriges Weibchen, das trotz seines Alters leicht über die Schienen hüpfte und zum Erstaunen der Suleyker Gesellschaft auf eine kleine Tribüne trippelte, welche man aus zwei Kaninchenkisten gebaut hatte. Gut. Soweit ist alles gut. Nun reichte das uniformierte Herrchen der Witwe Amanda Popp die Klingelglocke zum Halten, strammte sich, blickte auf die Gesellschaft und be-

gann zu sprechen. Und er sprach so: »Amerika«, sprach er, dann folgte eine lange Pause, und er sah die Gesellschaft mit herausforderndem Triumph an. Plötzlich in die vielsagende Stille hinein, begann die Witwe Amanda Popp mit freundlicher Ahnungslosigkeit die Glocke zu schwenken, eine Handlung, die keineswegs vorgesehen war und die bewirkte, daß das Herrchen die Glocke zornig an sich riß und in seiner Rede fortfuhr. »Amerika«, fuhr er fort, »es war, hol's der Teufel, ein gutes Endchen weit weg. Wer hat schon gehabt die Möglichkeit, schnell mal 'rüberzufahren. Etwa du, Hamilkar Schaß? Oder du, Ludwig Karnickel? Und dich, Hugo Zappka, wollen wir gar nicht erst fragen. So. Erst einmal soweit. Stimmt doch? Oder hab' ich nicht richtig gesprochen?«
Die Gesellschaft von Suleyken nickte nachdenklich.
Sie hatte kaum ausgenickt, da rief das uniformierte Herrchen auch schon weiter: »Aber jetzt! Amerika - wißt ihr, was geschehen ist? Es ist nähergekommen. Wir sind geworden Nachbarn von Amerika. Ihr alle, Ehrenwort, könnt Amerika grapschen. So. Erst einmal soweit.«
»Weiter!« rief ein ungeduldiger Mensch.
»Gut«, sagte das Herrchen, »also weiter. Halt die Glocke, Amanda Popp. - Was hatte ich gesagt? Amerika, richtig. Es ist nähergekommen. Und wodurch, bitte schön, ist es nähergekommen? Möchte das vielleicht jemand sagen? Na, wir wollen keinen Streit anfangen: Amerika ist geworden unser Nachbar, weil - sagen wir mal - weil wir gebaut

haben - na, dreht euch doch mal um: unsere neue Kleinbahn!«
Die Gesellschaft drehte sich schweigend um, als Amanda Popp, das schwerhörige alte Weibchen, wieder mit der Glocke bimmelte, worauf der Redner in jähzorniger Weise die Glocke an sich riß und sie vor sich hinstellte.
»Du kannst«, sagte er wütend, »Amanda Popp, nicht bimmeln zur unrechten Zeit. Was soll, überleg dir mal, werden, wenn die Bahn einfach abfährt.«
Das schwerhörige Weibchen lachte und sprach so: »Die Kälberchen, die Kälberchen, rein zum dammlich werden ist das. Und wie die Sonne scheint.«
Diese Antwort, wie man sich denken kann, wurde überhört. Statt dessen nahm das Herrchen wiederum seine Rede auf und sagte folgendes: »Wir haben«, sagte es, »noch etwas vorzunehmen. Adolf Abromeit.«
»Hier«, sagte der Angerufene.
»Adolf Abromeit, deine Frau, nehmen wir mal an, kriegt eines Tages ein Kind. So einen runden, kleinen Lodschak. Gut. Erst einmal soweit. Was wirst du dann, bitte schön, mit ihm machen?«
»Waschen«, rief Adolf Abromeit.
»Richtig«, sagte das Herrchen, »und dann?«
»Füttern.«
»Auch richtig. Und was noch?«
»Mit Puder bestäuben.«
»Stimmt alles«, sagte das Herrchen, »aber nur, Adolf Abromeit, eines hast du vergessen. Das Kind muß haben einen Namen. Was, Gevatterchen, hast

du von ihm, wenn du ihn nicht kannst rufen. Darum, sage ich, ist für jedes Wesen von Wichtigkeit ein Name. Auch für die Kleinbahn, hol sie der Teufel.
Gut. Soweit ist alles gut. Und was wir jetzt vornehmen, wird sein eine Taufe. Wir taufen unsere Kleinbahn, wie vorgesehen, auf den Namen Paul Popp. Und wenn ihr wissen wollt, warum: Paul Popp ist ein Opfer geworden. Er hat gearbeitet an der Kleinbahn, er hat sich, wie bekannt, ein Bein ausgerenkt bei dieser Arbeit. Und weil er der erste ist, der Schmerzen ertragen hat um die Kleinbahn, heißt sie: Paul Popp! So. Übrigens, er muß noch immer liegen im Bett. Und darum ist, wie Augenschein zeigt, Amanda Popp gekommen, seine Mutter.«
Eine Stille von sonderbarer Bedeutsamkeit entstand. Die Gesellschaft, überrascht und zutiefst verwundert, blickte versonnen auf die Witwe Amanda Popp, die natürlich nichts anderes im Sinn hatte, als die Klingel zu greifen, was ihr jedoch das uniformierte Herrchen verwehrte, indem es energisch seinen Fuß darauf setzte. Eigentlich, unter uns gesagt, wartete das Herrchen auf Beifall. Na, dergleichen regte sich aber nicht, und um das Schweigen zu überbrücken, begann der Redner von den Vorzügen der Kleinbahn zu sprechen. Und jetzt, das muß gesagt werden, erwachte in der Gesellschaft ein Sinn, der ausdrückt das Suleyker Verhältnis zur Technik. Der Redner: er wurde immer wieder von subtilen Fragen unterbrochen, wurde regelrecht gepiesackt von diesen Fragen -

woraus folgte, na, aber soweit sind wir noch nicht. Erst einmal, wenn's interessiert, einige Fragen.
Also fragte zum Beispiel Hamilkar Schaß, mein Großvater: »Mir ist«, ließ er sich vernehmen, »zu Ohren gekommen, daß so eine Kleinbahn, gegebenenfalls, kann überfahren drei Schafe auf einmal. Ist das richtig?«
»Dann«, sagte das Herrchen, »sind die Schafe schuld.«
»He«, rief ein Mensch aus dem Hintergrund, »und was ist eigentlich mit den Augen! Werden sie nun blind, wenn man mit der Kleinbahn fährt, oder werden sie nicht blind? Der Stodollik sagt, sie werden blind.«
»Das trifft«, sagte das Herrchen, »nicht zu.«
»Und was ist mit Schlummern«, rief ein anderer, »kann man schlummern in so einer Kleinbahn?«
»Hilft«, rief ein Einbeiniger, der alte Logau, »so eine Kleinbahn auch gegen Rheuma?«
»Weiß ich nicht«, schrie das Herrchen, ja, es schrie diesmal schon.
Na, und dann fragte der finstere Mensch Bondzio: »Wie ist das eigentlich, Gevatterchen, bei Regen? Kann die Kleinbahn nicht, sagen wir mal, wenn es gehörig pladdert, einfach ausrutschen?«
Zum Schluß fiel die entscheidende Frage. Sie wurde, niemand hätte es vermutet, gestellt von Jadwiga Plock. »Warum«, kreischte sie, »hol's der Teufel, sollen wir alle fahren nach Amerika? Ist's hier nicht auch schön?«
Während das Herrchen in sprachlosem Zorn die Klingel zur Hand nahm, regte sich freundlicher

Beifall für Jadwiga Plock. Man ging zu ihr, drückte bewegt ihre Hand und machte ihr Komplimente.
So. Erst einmal bis hierher. Und jetzt geht's gleich los. Das Herrchen bimmelte wild, krähte »Einsteigen!«, zerrte das schwerhörige Weibchen Amanda Popp von der Tribüne und stieg mit ihr ein. Außer ihnen stiegen von der ganzen Gesellschaft nur noch drei Menschen ein: mein Großvater, Hamilkar Schaß, der alte einbeinige Logau und der Briefträger Hugo Zappka. Der alte Logau, mein Gottchen, holte gleich das Fenster herunter, legte sich ächzend auf eine Bank und hielt sein einziges Bein, von wegen Rheuma, zum Fenster hinaus.
Dziobek, wie man beobachtete, tat so einiges mit den Rädchen und Hebelchen, und plötzlich, zur heillosen Überraschung der Gesellschaft, setzte sich die Kleinbahn in Bewegung. Man winkte und weinte, wie bei endgültigem Abschied, lief noch ein Stückchen mit und sah bangend und wehmütig zu, wie das Bahnchen hinter Goronzä Gora, das ist: Heißer Berg, entschwand.
Hugo Zappka, dieser Mensch, er hatte nichts Eiligeres zu tun, als die Ehrendame des Tages, die Witwe Amanda Popp, untern Arm zu nehmen. Und dann ging er mit ihr, weiß der Kuckuck, durch alle Wagen nach vorn, bis zur Lokomotive. Das arme schwerhörige Weibchen war schon ganz grün vor Furcht, und es zeigte mit ordentlich zitternder Hand, schreckerfüllt, auf die Lokomotive. Zappka natürlich, er mißverstand diese Geste, dachte, das ansonsten muntere Weibchen wolle da 'rauf. Zögerte also nicht lange und schleppte

Amanda Popp über die Kohlen zum Führerstand. Dziobek, der Hochmütige, warf zwei Schaufeln voll Kohlen ins Feuer. »Jetzt geht's noch schneller«, schrie er.

»Das ist so erwünscht«, schrie Zappka und deutete auf die Ehrendame des Tages. »Amanda Popp kann es nicht schnell genug gehen.« Das alte Weibchen, es nickte ängstlich und dachte, man wolle jetzt Schluß machen. Aber Dziobek heizte den Kessel noch mehr ein, weil er annahm, es sei immer noch nicht schnell genug.

»Ist jetzt schnell genug?« fragte er das Weibchen.

»Barmherzigkeit«, sagte Amanda Popp benommen, »rein zum dammlich werden.«

»Siehst du«, schrie Zappka durch den Fahrtwind zu Dziobek, »diese Fahrt macht ihr Freude. Sie will noch schneller.«

Unterdessen, in einem luftigen Abteil, ging folgendes vor sich: Hamilkar Schaß, mein Großvater, probierte die Bänke aus und sprach schließlich zum alten Logau: »So ein Bänkchen«, sprach er, »nie hatt' ich gehabt solch ein bequemes Bänkchen. Ich könnte tatsächlich noch eins aufstellen hinter der Scheune. Hier sind, was meinst du, Logau, sowieso zuviel. Vor lauter Bänken kann man hier schon gar nicht mehr sitzen. Hast du, Gevatterchen, etwas dagegen?«

Was sollte der alte Logau schon groß dagegen haben. Gut. Also Hamilkar Schaß, mein Großvater, machte sich gleich daran, so ein Bänkchen abzumontieren. Ging natürlich nicht einfach, waren alle ziemlich fest, diese Bänkchen, alle hübsch verschraubt. Jedenfalls, das war die Hauptsache, hatte Hamilkar Schaß erstmal ein bißchen zu tun während der Fahrt.

Er hatte so lange zu tun, bis, ziemlich überraschend, das uniformierte Herrchen hereinkam und, nachdem er gesehen hatte, was hier vor sich ging, dermaßen unhöflich wurde, daß mein Großvater folgendes tat: er flüsterte dem alten Logau was ins Ohr, ging nach vorn und flüsterte ausgiebig mit Hugo Zappka, der das schwerhörige Weibchen am Wickel hatte, und dann sprangen sie, kurz vor Schissomir, alle ab.

Na, sie erholten sich zunächst ein wenig, dann zuckelten sie in verstörtem Schweigen den Weg zurück und ließen die Kleinbahn - Kleinbahn sein. Als sie - auch das ist verbürgt - nach Suleyken zurückkehrten, wurde ihnen von der Gesellschaft ein Empfang bereitet, wie sich in Masuren niemand eines ähnlichen rühmen konnte. Sie erhielten von

allen Seiten Geschenke und wurden gefeiert, als ob totgeglaubte und fleißig betrauerte Söhne überraschend nach Hause gekommen wären, so ungefähr ging es zu. Und natürlich wurde getanzt. Wundert man sich vielleicht darüber?
Das ist auch, wie man bei uns zu sagen pflegte, fschistko jädno, was soviel heißt wie einerlei. Und einerlei: das wurde den Leuten von Suleyken allmählich auch die Kleinbahn. Das Schicksal, das sie ausersehen war zu nehmen, war über die Maßen traurig. Anfangs, selbstverständlich, fuhr sie noch ein paarmal, und wenn sie um Goronzä Gora herumschlich - denn das mußte sie schon -, da drohten die Leute von Suleyken, schwangen Knüppel, machten sogar unzüchtige Bewegungen zu den wenigen Fahrgästen und trieben ihre berühmten Schafe auf den Bahndamm - kurz gesagt, der Kleinbahn wurde dergestalt eingeheizt, daß sie ganz sacht verkümmerte. Aber wir wollen, um Himmels willen, nicht immer von Tragik reden. Zumal über die Geschichte, wie über den Damm der Kleinbahn, schon das gewachsen ist, was gegebenenfalls alles zudeckt: nämlich das wispernde Gras Suleykens.

DIE DREIZEHNTE
DER MASURISCHEN GESCHICHTEN

Die Reise nach Oletzko

Oft, Herrschaften, kann schon ein kleiner Mangel Anlaß geben zu einer Reise - beispielsweise der Mangel an einem Kilochen Nägel. Von diesem Mangel betroffen fand sich in Suleyken ein Mensch namens Amadeus Loch, dessen Liegenschaften sich in unmittelbarer Nähe von Goronzä Gora, das ist: Heißer Berg, erstreckten. Um also genügend Nägel zu haben für den Bau eines Schuppens, begab sich dieser Loch eines Tages zu seiner Frau und sprach ungefähr so: »Es ist«, sagte er, »moia Zonka, ein Mangel aufgetreten von einem Kilochen Nägel. Daher wird eine Reise nach Oletzko notwendig sein. Und damit sie angenehm wird, könntest du eigentlich mitfahren. Es sind dieselben Vorbereitungen, und wenn man schon in die Fremde muß, dann soll man achten, daß man nicht allein ist.«
So sprach der Amadeus Loch und ging hinaus, und nachdem er gegangen war, stellte seine Frau, eine geborene Popp, alles auf die Ofenbank, was für die Reise gebraucht wurde.
Was das Essen betrifft, so war auf der Ofenbank etwa zu finden: Speck, Fladen, Salzgurken, ein Topf Kohl, getrocknete Birnen, ein Korb Eier, gebratene Fische, Zwiebeln, ein Rundbrot und ein geschmortes Kaninchen. Dann legte sie, während Amadeus sich um das Fuhrwerk kümmerte, die

Joppe bereit, Gummigaloschen, Decken, Tücher und Pulswärmer. Und nachdem sie ihre vier Röcke zum Unterziehen hervorgekramt hatte, sprang sie hinüber zu ihrem Bruder, Paul Popp, und ließ sich so vernehmen:
»Amadeus und mich, uns zwingt der Mangel von einem Kilochen Nägel in die Fremde. Morgen, vielleicht auch übermorgen, müssen wir fahren nach Oletzko. Wenn man aber schon in die Fremde muß, dann soll man achten, daß man nicht allein ist. Da ich auf euch nicht verzichten kann, wäre es schon angenehm, wenn ihr mitkämt. Ich könnte sie leichter aushalten, die Reise.«

Damit ging sie, und nach kurzer Beratung begannen im Hause Popp die Vorbereitungen für die Reise: Eingemachtes wurde aufgemacht, es wurde Salzfleisch zurechtgelegt, Heringe wurden gebraten, ein Huhn geschlachtet und gekocht, Brot gebacken, ein Paar Wollsocken in wirbelnder Eile zu Ende gestrickt, ferner wurden die Pferde neu beschlagen, das Geschirr ausgebessert und die Leine

des Hofhundes verlängert. Und nachdem die notwendigsten Vorbereitungen getroffen waren, eilte Paul Popp persönlich zu seinem Schwager, Adolf Abromeit, der, wie man sich erinnert, in seinem Leben nicht mehr gezeigt hatte als große, rosa Ohren. Und zu diesem sprach er: »Das Schicksal will, daß wir eine Reise machen müssen in die Fremde. Und wie die Dinge, Adolf Abromeit, nun einmal liegen, hat sich niemand wohlgefühlt in der Fremde - angefangen bei den Katzen und geendet bei den Schimmeln. Somit wäre es gut, wenn du anspannst und uns begleitest; die Reise wäre um manches angenehmer.«
Adolf Abromeit, ein ewig verscheuchter Mensch, rannte vom Keller auf den Boden, vom Boden in die Scheune, von der Scheune in den Stall und in die Küche, und als er alles halbwegs beieinander hatte, rannte er über die Felder zu seinem Onkel, dem Briefträger Hugo Zappka, und sprach: »Ein Unglück ist geschehen. Eigentlich eine Feuersbrunst. Wir müssen eine Reise machen in die Fremde, nach Oletzko. Wir können dich, Onkelchen, nicht entbehren. Schon wegen der Katzen und Schimmel.«
Und damit rannte er auch schon zurück.
Hugo Zappka, der Briefträger, er ordnete und bündelte die eingegangene Post, stellte so etwas wie eine Bilanz zusammen und setzte sich hin und schrieb sein Testament. Dann regelte er alles für die Reise und suchte meinen Großvater Hamilkar Schaß auf, dieser meinen Oheim Kuckuck, Kukkuck den Ludwig Karnickel, Karnickel die Urmo-

neits, und allmählich war ganz Suleyken in schöner Unbefangenheit bereit, einen seiner Bürger in die Fremde zu begleiten.
Wie ansehnlich die Reisegesellschaft war - man wird es ermessen, wenn ich sage, daß das Fuhrwerk von Amadeus Loch knapp vor Striegeldorf war, als sich der letzte, der finstere Mensch Bondzio, gerade in Suleyken in Bewegung setzte.

So fuhren sie los, und dem Vernehmen nach soll auf dieser Fahrt, neben vielem anderen, folgendes passiert sein: es wurden zwei Kinder geboren, der alte Logau verlor sein Holzbein, zwischen dem Schuster Karl Kuckuck und dem Flußfischer Valentin Zoppek brach ein Streit aus, der Holzarbeiter Gritzan ließ sich herab und sprach zwei ganze Sätze, ferner sichtete man einen wilden Auerochsen, der sich jedoch später als Kuh herausstellte, inspizierte die sagenhaften Rübenfelder von Schissomir, unterbrach die Fahrt, um den berühmten

Kulkaker Füsilieren beim Manöver zuzusehen, und erwarb natürlich ein Kilochen Nägel in Oletzko. Dem weiteren Vernehmen nach kehrte die Gesellschaft nach angemessener Zeit zurück und zerstreute sich mit der Versicherung, daß es angenehm sei, wenn man in der Fremde nicht allein sein muß.

DIE VIERZEHNTE
DER MASURISCHEN GESCHICHTEN

Sozusagen Dienst am Geist

Sehr unangenehm ist es, wenn eine Inspektion droht; noch unangenehmer, Herrschaften, aber ist es, wenn man nicht weiß, zu welcher Stunde so eine Inspektion eintrifft. Diese Erfahrung mußte machen der Lehrer von Suleyken, ein gütiger Mensch namens Eugen Boll, der vierzig Jahre hingegeben hatte im Dienste am Geist. Hatte zwar gehört, daß der Horizont nicht ganz rein war, unser Eugen Boll, aber gewußt, welchen Tags die Inspektion erscheinen sollte, das hatte er nicht.
Demzufolge hatte er ausströmen lassen das Volk der Schüler zu seinem Stall und Düngerhaufen, gab ihnen Forken in die Hand, Schaufeln und Besen, und ließ sie lernen das Kapitelchen Geographie. Und nachdem der Düngerhaufen erhöht, frisches Stroh gestreut worden war, ließ er die Wißbegierigen hinabschwärmen zum Flüßchen, wo er, unter Uferweiden verborgen, seine Aalreusen ausgelegt hatte. Dies fiel unter das Kapitelchen Mathematik, denn wir, die Schüler, hatten auseinanderzuhalten die großen Aale und die kleinen, mußten die schlängelnden Haufen dividieren, mußten abzählen, wie viele auf eine Reuse kamen, lernten bei dieser Gelegenheit Greifen und Zupacken, was auch, wie Eugen Boll erklärte, alles von Wichtigkeit ist für die Mathematik. Sodann

ließ uns dieser gütige Mensch hinüberwechseln zu den Feldern, wo wir, in langer Kette auseinandergezogen, die Steine absammelten von seinem Kartoffelacker, was unter das Kapitelchen fiel: die Kunde von der Heimat.

Nun gut. Als das zarte Volk das Heu gewendet, einen Kiesweg ausgebessert und zwei Stapel Holz gesägt und gehackt hatte, beschloß Eugen Boll, sein Latrinchen vertiefen zu lassen - mit der Absicht, den Schülern zu verschaffen einen kritischen Blick in die Natur. Ließ auch gleich drei oder vier Bürschchen mit der Seilwinde in eine entsprechende Grube hinab, gab Anweisung, reichte Werkzeug und was gebraucht wurde hinterher und beaufsichtigte die Wissenschaft von der Natur.

So, und in diesem Augenblick will es die Erzählung, daß herangerollt kommt in seiner leichten Kutsche der Oberrektor Christoph Ratz samt einem dünnen, bebrillten Weibchen, welches zu seiner Begleitung gehört. Sie rollen heran zu dem Zwecke einer Inspektion, fahren unbemerkt zum Schulhäuschen, durchstöbern dasselbe, und da sie nichts finden, begeben sie sich hinaus, lauschen und halten verblüfft Ausschau. Kann man es sich vorstellen?

Gut. Gesehen wurde die Inspektion zuerst von dem vierten Sohn meines Vaters, von mir selbst. Wiewohl unfertig in der Ausbildung des Geistes, begriff ich, was sich anbahnte, faßte mir ein Herz und ging hinüber zu meinem Lehrer Eugen Boll. Ich verbeugte mich vor ihm und sprach: »Es ist,

Herrchen«, so sprach ich, »angekommen ein Paar, welches steht und herüberglubscht. Ich weiß nicht, was soll das bedeuten?«
Eugen Boll warf einen schnellen Blick in die bezeichnete Richtung, umarmte mich kurz und heftig und brach aus: »Es bedeutet«, so brach er aus, »Fürchterliches.« Und damit riß er den zarten Geschöpfen fort, was er ihnen in die Hände gegeben hatte, jagte sie auf einen Haufen zusammen, zog sich, das Lehrerchen, seine Jacke an und begann, fröhlich wie noch nie, zu dirigieren. Worauf wir Knaben zu singen anfingen, emsig und mit klopfenden Pulsen.
Na, der Rektor Ratz und das dünne Weibchen kamen über den Hof heran, blickten mißtrauisch,

die beiden, und strichen ein paarmal um uns herum, bevor überhaupt gewechselt wurden geziemende Worte der Begrüßung. Dann war das Liedchen zu Ende, und bevor Eugen Boll weiterdirigieren konnte - er wollte es sofort -, fiel ihm der Oberrektor in den Arm, schüttelte den Kopf und dachte nach. Und nachdem er das hinter sich hatte, sprach er mit einer dunklen, üppigen Stimme: »Für wen«, sprach er, »und aus welchem Grund wird gesungen das Liedchen?«

»Es ist«, sagte Eugen Boll, »ein Liedchen zur Begrüßung. Sagen wir mal, zur Begrüßung des Frühlings.«

Der Ratz, er hob plötzlich die Nase, schnupperte, stellte sich, dieser Mensch, auf die Fußspitzen und sog die Luft ein, und auf einmal kam er, beroch uns Knaben und sprach: »Die Zöglinge«, sprach er, »sie stinken.« Und nach einem erklärenden Blick zu dem Latrinchen: »Wenn man schon, Lehrer Boll, den Frühling begrüßen will mit einem Liedchen im Grünen - warum denn, wenn ich fragen darf, muß das stattfinden neben dem Latrinchen. Warum nicht, wie es ziemlicher wäre, in Gottes schöner Flur?«

»Die Knaben«, sprach darauf unser Eugen Boll, »sie sind müde vom Dienste am Geist. Und außerdem haben sie sich, wenn es erlaubt ist, sozusagen, an die Umstände gewöhnt. Wo man sie auch hinstellt, sie singen und begrüßen den Frühling.«

»Aber trotzdem, Lehrer Boll, sollte man nicht suchen die Nähe des Stunks. Denn die Zöglinge, Ehrenwort, könnten Schaden nehmen dabei.«

In diesem Augenblick erhob sich - und es kam direkt aus der Erde - eindringliches Gebrüll. Dies Gebrüll, es stammte von den Bürschchen, die man mit der Seilwinde in die Grube hinabgelassen und, in den ersten flattrigen Sekunden, rein vergessen hatte. Sie brüllten so herzzerreißend, daß der Oberrektor und das Weibchen wie erstarrt dastanden und nicht wußten, wie sie sich verhalten

sollten. Aber nur ein Weilchen. Denn schon im nächsten Moment schoß Ratz auf den Eugen Boll zu und fragte: »Wer«, fragte er, »ruft da aus seinem Grab?« Worauf unser Lehrerchen sagte: »Mich deucht, es ist jemand hinabgefallen. So gesehen, empfiehlt es sich vielleicht zu suchen.« Gerade wollte er uns ausschwärmen lassen, als die Inspektion die Grube mit den brüllenden Knaben auch schon entdeckt hatte. »Was ist«, rief Ratz, »das für ein Zustand. Ich sehe diverse Zöglinge in Not. Warum, bitte schön, stochern sie in dem Latrinchen herum?«

Eugen Boll, unser Lehrer, hob traurig die Schultern und sprach: »Möglicherweise, Herr Oberrektor, ist einem hineingefallen die Hose.«

»Aber solch eine Hose«, ließ sich das verstörte Weibchen vernehmen, »wird doch nicht mehr sein zu gebrauchen.«

»Die Hose wie die Hose«, sagte Boll. »Aber vielleicht befindet sich in ihr, sagen wir mal, ein Betrag von zehn Pfennig. Ganz zu schweigen von einer Birne, die drin sein könnte, oder von einem rotwangigen Äpfelchen. Die Zöglinge, sie werden schon haben ihren Grund. Ich kenne sie sämtlich.«

»Man helfe ihnen«, sagte das Weibchen, »herauf.«

Na, jetzt wurden die Knaben mittels der Seilwinde befreit, und da sie einen ziemlich benommenen Eindruck machten, verzichtete Ratz einstweilen auf die Befragung. Ließ, statt dessen, die Knaben zurückmarschieren in das Schulhäuschen, um mit ihnen das vorzunehmen, was man nennt eine Prüfung.

Diese Prüfungen, sie standen ohnehin vor der Tür, und um sich zu orientieren über den Stand des Suleyker Geistes, fragte dieser Ratz gleich los in entsprechendem Sinne.
Fragte also zum Beispiel meinen Nachbarn, einen dicken, verschüchterten Knaben: »Sage mir, Heinrich Klumbies, wer hat gewonnen und wann die unvergeßliche Schlacht von Striegeldorf?« Was den Heinrich Klumbies nach einigen Minuten des Nachdenkens zu sagen bewog: »Herrchen, mich kitzelt einer von hinten, so daß ich vergessen hab' Nam' und Jahr. Aber in Striegeldorf wohnt mein Onkel. Er zieht dort Bienen.«
Der Ratz ging darauf an den Knaben Klumbies heran, so daß diesen niemand mehr kitzeln konnte, und sprach: »Heinrich Klumbies«, sprach er, »wenn nun die Prüfung kommt, was wirst du machen in nämlicher Prüfung, damit du bestehst?«
»Mein Vater«, sagte der Knabe, »hat schon zum Räuchern gegeben den Schinken für die Prüfung. Er wird ihn aushändigen dem Herrn Lehrer zur rechten Zeit.«
Eugen Boll, als er solches hörte, zog gleich seinen Schuh aus, um den Knaben Klumbies damit zu werfen; er unterließ es nur, weil diesem, zu jedermanns Überraschung, die Tränen herausstürzten. Er schluchzte so bewegt, daß das bebrillte Weibchen zu ihm kam, ihn streichelte und sanft fragte: »Warum, Heinrich Klumbies, drängt es dich so zu schluchzen?«
»Es ist«, sagte dieser, »wegen meines Onkelchens.

Dieses Jahr wird er keinen Honig schicken. Sonst, Madamchen, hat er immer Honig geschickt.«

Das bebrillte Weibchen, es hatte Mühe, den Knaben Klumbies zu trösten, aber schließlich gelang es ihm doch, und der Oberrektor schob sich vor ihn und schickte sich an, weiter zu fragen. Wandte sich diesmal an meinen Vordermann und fragte unerbittlich drauf los: »Sage mir, Titus Anatol Plock, wo und zu welcher Bedingung ein Herrchen ins Wasser springt, um zu tauchen nach einem Ring? Und füge hinzu den vollen Familiennamen des Dichters.«

Titus Anatol Plock erhob sich, schluckte irgend etwas 'runter, das er gerade gekaut hatte, krümmte die nackten Zehen, schob sie über den Fußboden und dachte nach. Und nach einem Viertelstündchen sagte er mit aufleuchtender Miene: »Herrchen«, sagte er, »mein Nebenmann läßt Luft, und außerdem habe ich mir eingezogen einen Splitter im Zeh. Es kommt schon Blut, und darum kann ich nicht richtig nachdenken.«

Sofort rannte das Weibchen von der Inspektion auf den Knaben zu, legte ihn auf die Bank, besah sich den Splitter und zog ihn, nach langwierigen Vorbereitungen, wieder heraus. Titus Anatol Plock setzte sich danach auf sein Bänkchen, wimmerte dünn vor sich hin und hatte damit beantwortet die Frage.

Wer jetzt glaubt, daß alles zu Ende war, kann nicht ermessen die bodenlose Geduld des Oberrektors Ratz. Er hob seinen Zeigefinger, zielte auf die Knaben und drückte, wenn man so sagen darf,

ab auf den Zögling Joseph Jendritzki. Dies war ein schiefgewachsener, rothaariger Knabe mit selbstgenügsamem Gesichtsausdruck, der eine große, blaue Milchkanne neben seiner Bank stehen hatte. Und zu ihm sprach die Inspektion folgendermaßen: »Sage mir, Knabe Joseph Jendritzki, einiges über Gottes schöne Welt. Erkläre mir beispielsweise, was du weißt und hast gehört über die Wölkchen - woher sie kommen, wohin sie eilen, und was sie mitunter machen. Denk und sprich.«
Joseph Jendritzki, ein gewandtes Geschöpf, plierte gleich zum Fenster 'raus, nahm in Augenschein Himmel und Wölkchen. Und dann ging er an das Fenster heran, öffnete es, stieg auf das Sims und plierte weiter. Und als ihm auch das nicht zu ausreichender Antwort zu verhelfen schien, sprang er ins Freie, kletterte auf einen Kastanienbaum und besah sich in aller Ruhe und Hingegebenheit die Wölkchen. Zum Schluß pflückte er sich noch einige Kastanien und kam dann freudestrahlend zurück. Der Oberrektor lächelte ihm zu, das Weibchen lächelte ihm zu, und auch Egon Boll in der Ecke blickte ihn erwartungsvoll lächelnd und voller Stolz an, als er wieder zu seinem Bänkchen ging.
»Also«, sprach Ratz, »sage du mir, was ich wissen will.«
Joseph Jendritzki schaute nach unten, seine Blicke glitten über den Boden und über die große, blaue Milchkanne, und plötzlich rief er: »Herrchen«, rief er, »man hat mir vollgestrullt meine Milchkanne. Das muß gewesen sein, als ich saß auf dem Baum zum Zwecke der Beobachtung.«

Ein Tumult entstand, ein Forschen und Fragen erhob sich, und es wäre mancherlei erfolgt, wenn jener Oberrektor Ratz nicht unvermutet gesagt hätte: »Ich bitte mich zu entschuldigen für ein knappes Minütchen. Ich bin gleich wieder zurück.« Und damit ging er hinaus.

Ging hinaus und wollte, während man ergeben auf ihn wartete, überhaupt nicht mehr wiederkommen. Na, als dann ferne Hilferufe erklangen, ging der Lehrer Egon Boll hinaus und fand den Oberrektor eingeschlossen im Latrinchen. Der Lehrer entschuldigte sich ziemlich ausschweifend und sprach: »Es muß liegen an jenem neuen Riegel. Weil er ein wenig klemmt, muß man das Türchen etwas anheben. Vielleicht darf ich es zur Erklärung zeigen.«

Worauf beide Herren noch einmal hineintraten, und Eugen Boll den Riegel vorschob aus Gründen des Versuchs.

Ganz recht: der Riegel klemmte auch diesmal, klemmte so gut, daß das Türchen nicht aufspringen wollte, auch als man es anhob. Sie klopften, hoben und stießen, trommelten sogar mit den Fäusten - nichts gab nach. So nahmen die Herren Platz und bedachten, was auch halbwegs zutraf: nämlich ihr finsteres Los. Bedachten es, so ungefähr, bis zum Abend, plauderten über dies und das, und wurden endlich befreit von dem bebrillten Weibchen, das verängstigt auf rasche Abreise drang.

Zu meiner Zeit ist dann keine Inspektion mehr gekommen, und wir lebten wie ehedem und ließen uns berauschen vom Dienst am Geist.

DIE FÜNFZEHNTE DER MASURISCHEN GESCHICHTEN

Eine Sache wie das Impfen

Kaum war das Gerücht entstanden, da tat es auch schon das, was offenbar in seiner Natur liegen muß: es verbreitete sich. Verbreitete sich über ganz Suleyken, sprang über nach Schissomir, rannte den Bahndamm entlang nach Striegeldorf und gelangte, dieses Gerücht, nach Überquerung der Kulkaker Wiesen direkt in die Kreisstadt. Hier verlief es sich erstmals, hatte sich verirrt, wie es schien, aber dann fand es doch den Weg: stolzierte eines Tages über den Marktplatz, die Treppen zum Magistrat hinauf, klopfte an eine gewisse Tür und war, wie die Ereignisse zeigen werden, am Ziel.

Dies Gerücht: niemand kann sich mehr erinnern, wie es eigentlich entstanden ist, nur was es besagte, das ist noch im Gedächtnis. Und es besagte ungefähr, daß in der Suleyker Familie Plock, in punkto Gesundheit und auch sonst, alles ziemlich brach und darnieder lag. Die Angehörigen dieser Familie, so erzählte man, hätten entweder dicke Bäuche oder gar keine, sie äßen lebende Tiere, Schimmel vor allem, weiterhin bevorzugten sie, ihre Speisen von der Erde zu essen, und zeigten die sonderbare Neigung, sich mit den Tieren zu unterhalten. Auch sollte es Beispiele dafür geben, daß eine Anzahl der Plockschen Kinder mit den Schafen zusammen auf die Weide getrieben wurde -

man ahnt schon, wieviel Schrecken und Aufregung waren auf seiten von Dr. Sobottka, dem Kreisphysikus, als nämliches Gerücht in seine Ohren fiel.
Nachdem es, jedenfalls, tief genug hinabgefallen war, verfiel unser Kreisphysikus in einen Zustand schwermütigen Nachsinnens, sann alles ordentlich durch, und als er damit zu Ende gekommen war, hob er den Kopf und sprach so: »Wir werden«, sprach er, »impfen!«
Noch im gleichen Augenblick wurde eine Kommission zusammengestellt, wurde mit Taschen ausgerüstet, mit mancherlei Medizin und Tabletten, auch Messer waren dabei, um, gegebenenfalls, die Plockschen Kinder von den Tauen zu schneiden, mit denen sie auf der Weide angepflockt waren. Sage und schreibe bestand die Kommission aus vier Herren; die Suleyker Hebamme, ein Weibchen namens Martha Mulzereit, sollte an Ort und Stelle zu ihr stoßen. So, und dann fuhr die Kommission, sagen wir mal, in hochoffiziellem Vierspänner, auf dem kürzesten Weg nach Suleyken, zur Quelle des düsteren Gerüchts. Fuhr hin und hielt also vor dem ersten Häuschen, welches auch gleich gehörte meiner Großtante, der Witwe Jadwiga Plock.
Gottes Segen, er ruhte mild über Jadwiga Plocks Häuschen, denn selbst nachdem sie Witwe geworden war, hatte sie nicht aufgehört, gesunden, etwa zehnpfündigen Kindern das Leben zu schenken, und zwar mit wunderbarer Regelmäßigkeit. Und es fügte sich, daß, als die Kommission eintrat, alle sechzehn anwesend waren, auch Titus Anatol, welcher das achte Kind war.

Was sich der Kommission zunächst bot, es war ein Anblick von bewegtem Leben: es krabbelte, plapperte und blubberte, es kroch vor und zurück, es wimmerte und schrie, lutschte und weinte, kaute und zankte, schluckte und miaute und aß unentwegt. Einiges saß auf den Stühlen, anderes auf dem Tisch oder auf dem Ofen, das meiste natürlich bewegte sich auf dem Fußboden.

Na, Martha Mulzereit, die ortskundige Hebamme, bildete sozusagen die Nase der Kommission, steckte sie also vorsichtig 'rein in die Höhle des Lebens, kundschaftete sorgfältig alles aus und zog die Kommission nach. Und jetzt gab Jadwiga Plock ein Beispiel häuslicher Selbstbehauptung: sie fegte die Stühle rein, den Tisch, den Ofen, säuberte sie quasi von jeglichem Leben und sagte nichts weiter als »Willkommen in Suleyken«. Dann bot sie der Kommission Rauchfleisch an, Bohnen, Kohl und Kaffee, verrichtete alles schweigend, mein Großtantchen, und musterte derweil mißtrauisch den Besuch. Der Besuch aß erst einmal.

Nachdem er aber gegessen hatte, sagte die Hebamme plötzlich: »Wir könnten jetzt eigentlich impfen.« Zog auch gleich eine Spritze heraus, lud sie in einer Flasche und ging, einige Locktöne ausstoßend, auf den Berg von Leben zu, der in einer Ecke zusammengekrochen war. Ein furchtbares Kreischen begann, ein Winseln und Johlen, der Berg geriet in Bewegung, floh teilweise aus dem Fenster, teilweise durch die Tür, kurz und gut, wie man schon vorauseilend bemerkt hat: es blieb nichts übrig zum Impfen. Die Kommission wartete ein Weilchen, und als nichts geschehen wollte, äußerte sie den Wunsch nach heißem Wasser. Das wurde gebracht, und die Kommission, einschließlich der Hebamme, zog die Schuhe aus und brühte die Füße. Dabei geriet man ins Plaudern, richtete es sich gemütlich ein und gab zu verstehen, daß man im Interesse der Gesundheit nötigenfalls auch längere Zeit warten werde, und Jadwiga Plock,

mein Großtantchen, umsprang und umsorgte den Besuch, versah ihn mit allem, wonach er verlangte, sogar mit einem Nachtlager in der Scheune versah sie ihn.
Das zahlreiche Leben der Jadwiga Plock blieb indes verschwunden, nichts war zu hören, nichts zu sehen, als ob mein Großtantchen geradezu unfruchtbar gewesen wäre: so nahm es sich aus. Allerdings zeigte sie weder Furcht noch Besorgnis in Anbetracht der verschwundenen Brut, antwortete, wenn sie gefragt wurde, mit höflicher Gleichgültigkeit, hob ihre ansehnlichen Schultern und stellte sich rein dammlich.
Die Kommission ihrerseits machte tagsüber kleine Ausflüge, bestellte bei den Bauern Winterkartoffeln, nahm an einem Feuerwehrfest teil, spazierte und plachanderte, und ein Mitglied verlobte sich sogar. So ging der Sommer vorüber.
Eines Morgens, niemand hätte das mehr erwartet, tat die Kommission etwas Ungewöhnliches: sie schöpfte Verdacht. Und zwar schöpfte sie ihn, als Jadwiga Plock, sich allein glaubend, mit einem riesigen Topf Kohl auf den Hof trat, den Topf auf die Erde setzte und klanglos wieder in ihrem Häuschen verschwand. Sofort setzte die Kommission ihr nach und fragte sie: »Für wen«, fragte sie, »ist der Kohl?«
»Er ist«, sagte mein Großtantchen, »bestimmt für den Hund.«
Man wird, dachte die Kommission, den Hund ja sehen, und sie postierte sich, hinter bequemen Astlöchern, in der Scheune, verhielt sich stumm und

wartete. Und alsbald, oh, schneller Erfolg des Lauschens, tauchten aus den Johannisbeerbüschen, aus den Brombeeren, aus den Bäumen und Heuhaufen Jadwiga Plocks Söhne und Töchter auf, schlichen auf den Hof, krochen hervor bis zu dem Topf mit Kohl und begannen zu speisen. Sie umlagerten den riesigen Topf, kniffen sich gegenseitig weg, zerrten und zogen, warfen sich mit Kohl: die Kommission stand wie gebannt.

Stand ungefähr bis zum Ende der Mahlzeit, die Kommission, dann handelte sie strategisch, will sagen, sie schlich sich hinaus auf den Hof und fing, von mehreren Seiten kommend, vier von der Plockschen Brut. Diese wurden, unter ohrenschmerzendem Kreischen, in die Scheune geschleppt, geimpft und danach in die Freiheit entlassen.

Und nun kam es zu verwirrenden Merkwürdigkeiten: es meldeten sich bei der Kommission alsbald einige Knaben, die freiwillig geimpft werden wollten, nach ihnen kamen neue und wieder neue, immer umfangreicher wurde die Zahl - nie hat man so viel fröhliche Bereitschaft unter der Suleyker Brut bemerken können, so viel andächtiges Stillhalten. Sie drängten sich vor, jedem konnte es nicht schnell genug gehen mit dem Impfen, sie zeigten schon auf die Stelle, wo sie den Stich hinhaben wollten, na, man wird sich ausmalen, was los war. Ein Wettbewerb hatte eingesetzt, einer suchte den andern zu übertreffen in der Anzahl der Impfstellen - manch einer hatte es verstanden, sich sechsmal unbemerkt anzuschließen. Und natürlich sparte die Kommission nicht an Tabletten und Medizin, sparte auch ebensowenig an hygienischen Ermahnungen gegenüber meiner Großtante Jadwiga Plock. »Es empfiehlt sich«, sagte beispielsweise die Kommission, »die Kinderchen aus Tellern essen zu lassen. So etwas verhindert unter anderem die Rachullrigkeit« - das ist: die Habgier, na und so weiter. Machte, diese Kommission, ihren ganzen Einfluß geltend, um der Gesundheit die Ehre zu geben, und nachdem das geschehen war, reiste sie ab in dem hochoffiziellen Vierspänner.

Doch kaum war sie weg - jeder Prophet wird sofort wissen, was auftrat, nachdem die Kommission weg war -: Krankheit nämlich. Die Plocksche Brut, verurteilt zu Teller und Löffel, bekam Fieber, begann an Appetitlosigkeit zu leiden und schleppte ein Übel herum, das später bekannt geworden ist als die Suleyker Darmnot.

So siechte eine der berühmtesten Suleyker Familien dahin, unter Fieber und bemerkenswerten Verdauungsnöten, und sie wäre wahrscheinlich ausgelöscht worden, wenn Jadwiga Plock, meine Großtante, das Siechtum nicht auf ihre Art beendet hätte: sie verbarg kurzerhand die Teller und stellte, am nächsten Tag, einen riesigen Topf Kohl auf die Erde. Und siehe da: das schon welke Leben begann - sacht, versteht sich - wieder zu knospen, das Fieber blieb langsam weg und schließlich auch die anderen Übelkeiten. Und nachdem, militärisch gesprochen, der Donner verraucht war, ereignete sich das Leben wieder nach Suleyker Art: nämlich blühend.

DIE SECHZEHNTE
DER MASURISCHEN GESCHICHTEN

Der Mann im Apfelbaum

Einen seltsamen Baum, Herrschaften, gab es bei uns in Suleyken; wohl den seltsamsten Baum von der Welt. Was sich auf seinen Zweiglein schaukelte, es waren die Blüten des Aberglaubens, und es waren - aber ich will der Reihe nach erzählen.

Vierunddreißig Apfelbäume, so wird berichtet, besaß der Adam Arbatzki, keinen aber pflegte und bevorzugte er mehr als den, welcher unmittelbar neben seinem Häuschen stand. Es war, betrachtete man alles aus der Entfernung, ein sonderbares Verhältnis, das dieser Adam Arbatzki mit seinem Bäumchen hatte: nicht nur, daß er ihm reichlich und vom besten Dünger gab, daß er zur Zeit der Nachtfröste ein Koksöfchen neben ihm aufstellte - zuweilen, wie mehrmals festgestellt wurde, pflegte er sich sogar mit ihm zu unterhalten. Plauderte schließlich so ungeniert mit dem Bäumchen, bis seine Frau, ein ganz junges Marjellchen namens Sofja, einiges mitbekam und ihn darob mit folgenden Worten zur Rede stellte: »Ich habe, Adam, im letzten Winter rechnen gelernt. Und ich habe ausgerechnet, daß du bei Sonne vier, bei Regen sieben Sätze mit mir redest. Mit meinen Ohren aber, die ich habe, um zu hören, habe ich erlauscht, daß du mit jenem Bäumchen, das immer mehr in die Breite geht und schon in alle Fenster hineinlugt, mehr als

zehn Sätze sprichst. Demzufolge möchte ich bitten um Aufklärung. Das ist ja wohl möglich.«
Adam Arbatzki, er lächelte mild und müde, besann sich ein wenig und sprach dann mit leiser Stimme: »Die zehn Sätzchen, moia Zonka, die ich sprech' zu dem Baum, sprech' ich zu mir selbst. Denn dies Bäumchen ist niemand anderes als meine Wenigkeit. Ich habe es gepflanzt, damit ich schlüpfen kann in es, wenn ich tot bin. Und damit ich aufpassen kann auf dich, Sofja. Du bist noch jung, moia Zonka, und wer jung ist, stellt sich womöglich ziemlich dreibastig an. Somit möchte ich dich schon heute ein bißchen warnen. Das Bäumchen - und das heißt ich - kann hineinlugen in alle Fenster und sehen, was vor sich geht. Wenn zuviel vor sich geht nach meinem Tode, werd' ich mich schon auf gewisse Weise melden.«
Dies Gespräch fand statt an einem Dienstag; an einem Mittwoch legte sich Adam Arbatzki ins Bett, an einem Donnerstag schickte er nach dem Arzt, und da er sich an dem Arzt nicht vergriff, sondern schluckte, was dieser ihm verschrieb, starb er an einem Sonntag zur Kaffeezeit. Eigentlich war er auch alt genug dafür.
Na, die Sofja, das kribblige Marjellchen, sorgte sich, daß ihr Adam Arbatzki ein schönes Plätzchen fand, mottete seine Jacken und Hosen ein und verhielt sich ruhig. Wenigstens einstweilen. Aber nach und nach ließ sie die Trauer hinter sich - war ja auch zu jung, um sich künftighin nur zu grämen - und erging sich in dem, worin das Leben, scheint's, zur Hauptsache besteht: nämlich in Ge-

schäftigkeit. Diese Geschäftigkeit führte sie, was keinen wundern wird, gelegentlich auch unter das Bäumchen des Adam Arbatzki. Aber statt ihm Dünger anzubieten, ein Eimerchen voll bester Jauche oder ein Koksöfchen für die Nachtfröste, bot sie ihm nur scheele Blicke. Rupfte sich, im Vorbeigehen, auch mal einen Zweig ab, schlug mit dem Fuß dagegen oder machte sonst was - alles nur, um

zu sehen, wie weit der alte Adam Arbatzki wirklich in dem Bäumchen enthalten sei. Und da auf ihre Versuche nichts Außergewöhnliches geschah, kein Ächzen erfolgte, kein Stöhnen, Rauschen oder Schimpfen, ließ sie eines Tages, weil der Baum ihr quasi ein ungeheurer Splitter im Auge war, einen fremden Knecht kommen und sprach zu dem: »Hacke mir«, sprach sie, »Knecht, dieses runzlige Ding weg. Schön ist es nicht, wachsen tut es nicht mehr, und die Äpfel, die es abwirft, kann kein

Mensch in den Mund nehmen. Außerdem nimmt mir das Gewächs das Licht weg für alle Stuben.«
Der Knecht, ein gewisser Sbrisny, holte sich darauf seine Axt, holte sich noch dazu ein Fuchsschwänzchen und ein Seil und schickte sich an, dem Adam Arbatzki im Baume den Garaus zu machen. Bis hierher ging auch alles gut.
Aber nun frage ich: wer, Herrschaften, würde von uns stumm zusehen, wenn ein gewisser Sbrisny käme, uns ein Seil um den Hals legte und dann anfinge, mit seinem Fuchsschwänzchen an unseren Beinen herumzusägen? Ich will doch hoffen, da würde sich niemand ruhig verhalten. Na also. Und darum ist auch nicht zu erwarten, daß sich der Adam Arbatzki im Baume ruhig verhielt: als sich der Knecht mit der Säge gerade bückte, flog ihm ein morscher Ast so eindrucksvoll auf den Schädel, daß er sich nicht wieder hochrecken konnte. Mußte im Fuhrwerk nach Hause geschafft werden, dieser Sbrisny, und mied den bezeichneten Baum von Stund an.
Darauf ging das Marjellchen Sofja wie wandelnd unter das Bäumchen, lauschte ein Weilchen, sah sich alles genau an und wisperte: »Der Knecht Sbrisny, Adam Arbatzki, hat immer geholfen bei den Rüben. Und das Heu hat er eingefahren. Es schickt sich nicht, wenn du ihm so schlägst auf den Dassel. Ein Ast zieht schlimmer als die Hand.«
Das Bäumchen schwieg dazu, und Sofja, die junge Witwe, ging in ihr Haus und überlegte.
Überlegte, ob er kommen solle oder nicht - er: damit ist gemeint das kräftige Bürschchen Egon

Zagel, ein Lachudder weit und breit, worunter man sich vorzustellen hat einen Lümmel. Schließlich, weil sie in sich pochen fühlte eine Sehnsucht, entschied sie, daß er gegen Abend zu ihr kommen solle, und sie gab ihm Bescheid.

So kam Egon Zagel auf seinen - wenn es erlaubt ist zu sagen - schiefgelaufenen Latschen der Liebe ins Häuschen und ging ohne Umschweife der Tätigkeit eines Freiers nach. Aber mitten im Prahlen und Ringeln, im Drehen und Scharwenzeln - was geschah da? Was man erwartet hat: Adam Arbatzki im Baum schlug mit den Ästen gegen die Fenster, knarrte im Wind und kratzte mit verschiedenen Zweigen am Strohdach. Tat das unablässig und derart aufdringlich, daß die Sofja sich erhob und zu dem Freier sprach: »Du könntest, Egon Zagel, bitte schön, hinausgehen und dem Baum ein paar Äste nehmen. Besonders die, mit denen er uns nicht in Ruhe läßt.«

»Das wird«, sprach der Freier, »geordnet in zwei Minuten.« Schnappte sich ein Küchenmesser und trat unter den Baum, um die fraglichen Äste auszumachen. In diesem Augenblick schüttelte sich Adam Arbatzki so, daß das Bürschchen erst einmal gehörig naß wurde, und als es sich, mit zwei, drei Schritten, in Sicherheit bringen wollte, stellte ihm der Adam Arbatzki ein Bein, genauer gesagt, er stellte dem Lachudder eine Wurzel, woraufhin dieser dergestalt stolperte und sich drehte, daß ihm das Küchenmesser in eine seiner bemerkenswerten Hinterbacken fuhr. Der jungen Witwe blieb es vorbehalten, das Küchenmesser herauszuziehen und zu säubern, und es braucht nicht gesagt zu werden, daß jener Freier ziemlich rasch verduftete.

Ja, und nun begann es sich allmählich herumzusprechen, was mit diesem Bäumchen los war, und es gab nicht wenige in Suleyken, die es höflich grüßten und hin und wieder auch ein Wörtchen zu ihm sprachen. Vor allem fand sich keiner, der bereit gewesen wäre, das Marjellchen Sofja als regelrechte Witwe anzusehen - ein Umstand, der ihr außerordentlich zu Herzen ging und sie, wo nicht schwermütig, so doch ratlos machte. Dieser Zustand hielt auch ein paar Jährchen an. Aber in ihrem Kopf rumorte es, rumorte so lange, bis ergrübelt war ein neuer Plan, wie dem Bäumchen zur Rinde zu gehen wäre. Und sie ließ kommen einen auswärtigen Knecht aus Schissomir, einen düsteren Menschen namens Strichninski, der von nichts wußte. Diesem wurde aufgetragen, eine Fackel an das Bäumchen zu legen und es sachte abpesern zu lassen.

Wickelte auch gleich, dieser Strichninski, ein Stück Sackleinwand um einen Knüppel, tauchte ihn in Teer, zündete ihn an und warf ihn gegen das Bäumchen. Und jetzt mag man es glauben oder nicht: die Fackel prallte so forsch ab, als ob der Baum sie zurückgeschleudert hätte; sie flog zu jenem Strichninski zurück und leckte ihm einmal über die Visage, was bewirkte, daß er schreiend davonrannte.

Wieder trat Sofja, die junge Witwe, in den Garten und beschimpfte Adam Arbatzki im Baum. Aber der blieb stumm.

Schon war das Marjellchen daran, sich für immer in ihr Geschick zu fügen, als sich ein kleiner lebhafter Gärtner mit Namen Butzereit bei ihr einstellte, der von ihrem Unglück vernommen hatte. Kam also zu ihr und sagte: »Was man zu hören bekommt über den Adam Arbatzki im Baum, es stimmt einen nachdenklich. Aber wer, frage ich, wird sich nicht wehren, wenn man ihm fährt an die Haut. Da muß man anders handeln. Gegen entsprechende Vergütung würde ich es schon übernehmen.«

»Es wird«, sagte Sofja, »alles vergütet bei Gelegenheit.«

Was bleibt mir zu sagen? Dieser kleine, lebhafte Gärtner nahm ihre Hand und sagte: »Ich werde«, sagte er, »das Bäumchen verschönern. Dagegen wird es wohl nichts haben. Es geht alles ohne Gewalt.«

Und er ging hin und begann das Apfelbäumchen auf verschiedene Weise zu veredeln: durch, wie es heißt, Äugeln, durch Geißfußpfropfen und Kerbeln. Setzte ihm hier einen Haselnußast an, da einen Zweig vom Birnbaum, verwendete Kastanien, Birken, Weiden und sogar Linden, und pfropfte dem Bäumchen alles auf unter ständigen Schmeicheleien. Und das Bäumchen, es ließ sich das auch gefallen - womit es, wie jeder Kundige einsehen wird, überlistet war. Denn es wuchs nun, ja, wohin wuchs es eigentlich? Auf einer Seite hingen Haselnüsse, auf der anderen Äpfel, hier waren es Kastanien, da Kruschken, mit einem Wort: Adam Arbatzki im Baum verlor so allmählich seine Natur, wuchs sich gewissermaßen aus. Was zuletzt von ihm nachblieb, war nur der Stamm. Sagt selbst, Herrschaften, geben Beine noch einen Menschen ab? So also verzweigte und verzettelte sich jener Adam Arbatzki, weil er nichts gegen eine Veredelung hatte. Wer nach Suleyken kommt, kann ihn übrigens immer noch dort sehen: den wahrscheinlich seltsamsten Baum von der Welt.

DIE SIEBZEHNTE DER MASURISCHEN GESCHICHTEN

Die große Konferenz

Manchmal, wie die Erfahrung zeigt, glaubt man etwas zu besitzen, nur weil man sich an den Gedanken des Besitzes gewöhnt hat. Dieser Tatbestand war gegeben im Fall der sogenannten Suleyker Poggenwiese, eines moorigen Landzipfelchens, das erfüllt war vom quakenden Palaver der Frösche, vom einzelgängerischen Brummen der Hummeln, von unablässigem Gepieps und Gezirp. Die Suleyker, sie sahen nämliche Poggenwiese als ihren rechtmäßigen Besitz an, weshalb sie ohne Arg hinaufließen, ihre berühmten Schafe, ihre Schimmel, ihre Kühe, ganz zu schweigen von den Enten, die es unaufhaltsam zu den Gräben zog.

Es ging gut, sagen wir mal - aber niemand hat die Jahre gezählt, wie lange es gut ging. Eines Tages nun zog sich ein Mensch aus Schissomir, Edmund Piepereit mit Namen, seine Schuhe aus, watete in so einen Graben hinein und schnappte sich ein ansehnliches Suleyker Erpelchen unter dem Hinweis, daß die Poggenwiese, von Rechts wegen, zu Schissomir gehöre. Und daher, meinte dieser Mensch, könnte er betrachten das Erpelchen gewissermaßen als Strandgut.

Jetzt möchte man wohl wissen, wie sich Suleyken verhielt. Na, zunächst drang es auf Vergeltung, dann horchte es auf, und nachdem es auch herumgehorcht hatte, stellte sich ein eine schmerzhafte Ratlosigkeit. Denn die sogenannte Poggenwiese hatte sich herausgestellt als umstrittener Besitz - worunter zu verstehen ist, daß sowohl Suleyken als auch Schissomir besagte Wiese als ihr Eigentum ansahen.

Da nun aber, wie es jedermann einleuchtete, eine Wiese nicht haben kann zwei Herren, wurde das einberufen, was sich in ähnlichen Fällen schon wiederholt bewährt hat: nämlich eine Konferenz. Diese Konferenz, sie sollte stattfinden in Schissomir, sollte den Streit schlichten und die Poggenwiese dem zusprechen, der die besten Worte finden konnte für den Nachweis des Besitzes. Alles in allem, wie man es sich denken kann, weckte diese Konferenz auf beiden Seiten große Erwartungen.

Nun wurde in Suleyken ein Vertreter gewählt, von dem zu hoffen war, daß er die besten Worte finden würde zum Nachweis des Besitzes. Es liegt nicht nur auf der Hand, daß niemand anderes gewählt wurde als mein Großvater, Hamilkar Schaß, der sich durch angespannte Lektüre geradezu den Ruf eines Suleyker Schriftgelehrten erworben hatte. Gut. Wer Suleyken kennt, wird jetzt nicht allzu kleinlich sein in der Vorstellung, was meinem Großväterchen, Hamilkar Schaß, mitgegeben wurde als Ausrüstung: Kniestrümpfe aus Schafwolle und Briefmarken, Rauchfleisch und Sicherheitsnadeln, Ohrenschützer, ein Gesangbuch, Streuselkuchen, eine ganz neue Peitsche, ferner zwei Kilo ungesponnene Schafwolle, ein Leibriemen und, natürlich, Lektüre über Lektüre, welche sich vornehmlich zusammensetzte aus älteren, aber geschonten Exemplaren des Masuren-Kalenders. Nimmt man das ganze zusammen, so waren es ungefähr zwei Fuhrwerke voll, die mein Ahn als Ausrüstung für die Konferenz erhielt.

Hamilkar Schaß, mein Großväterchen, hielt es indes für besonders notwendig, zur Konferenz ein Tütchen Zwiebelsamen mitzunehmen, und zwar aus dem Grunde, weil er dem Glauben anhing, Zwiebeln seien gut zur Beflügelung des Geistes. Er pflegte sie mit der gleichen Leidenschaft zu essen, mit der er sich auf seine Lektüre warf, und er weigerte sich abzureisen, bevor nicht die entsprechenden Tütchen mit den Zwiebelsamen vorhanden waren. So, und dann reiste er ab, begleitet von den Segenswünschen der Suleyker, reiste mitten hinein in die Höhle des Löwen von Schissomir.

Schissomir: es hatte vollauf erfaßt Sinn und Bedeutung solch einer Konferenz, wofür man, in Zweifelsfällen, nur folgende Tatsachen ins Auge zu fassen braucht: erstens wurde meinem Großvater zugewiesen eins der ansprechendsten Häuschen von ganz Schissomir, zweitens ein Gärtchen dazu, drittens allerhand ausgesuchte Bequemlichkeiten wie ein Badezuber mit Bürste, ein Stück Seife, ein Bänkchen vor dem Haus zum Nachsinnen, und, nicht zu vergessen, Moos zwischen den Doppelfenstern, für den Fall, daß es im Winter zieht. Man ließ ihm Zeit sich einzurichten, drängte ihn überhaupt nicht, und mein Großväterchen ging, um sich innerlich einzustellen auf die Konferenz, einige Wochen müßig.

Dann aber war es soweit: die Konferenz wurde bestimmt und festgesetzt.
Sie war festgesetzt auf sechs Uhr in der Früh' - man wollte frisch und ausgeruht sein. Es saßen sich gegenüber Hamilkar Schaß aus Suleyken und Edmund Piepereit aus Schissomir, derselbe, der das Erpelchen von einem der Gräben als Strandgut nach Hause getragen hatte. Die erste Sitzung, wenn man so sagen darf, nahm folgenden Verlauf: man begrüßte sich, aß eine riesige Pfanne voll Rührei, lachte und sprach über die Aussichten für den Hafer. Und man wäre fast auseinandergegan-

gen, wenn sich jener Piepereit nicht an das Erpelchen erinnert hätte, das sein Weibchen gerade für den nämlichen Abend schmorte. Stand auf, dieser Mensch, nahm sogar eine besondere Feierlichkeit an und sprach so: »Und was übrigens betrifft die

Poggenwiese, so gehört sie, wie Augenschein lehrt, nach Schissomir.«
Worauf Hamilkar Schaß, mein Großväterchen, in spürbarer Verwunderung den Kopf hob und antwortete: »Ich vermisse«, antwortete er, »Edmund Piepereit, die einfachsten Formen der Höflichkeit.« Stand damit auf und spazierte zu seinem Häuschen hinüber, wo er einen Spaten nahm, mit diesem in den Garten ging und gemächlich begann, mehrere Zwiebelbeete anzulegen. Da es gerade die Zeit war, säte er die Zwiebelchen aus, die nach der Ernte dienen sollten der Beflügelung seines Geistes. Und als er damit fertig war, setzte er sich auf das Bänkchen zum Nachsinnen.
Den Leuten von Schissomir war solches Treiben nicht verborgen geblieben; sie nahmen es hin und leiteten daraus ab das Verhältnis meines Großvaters zur Zeit. Und sie begannen zu spüren, daß sich dieser Mann auf das Warten verstand.
Nach, sagen wir mal, ein paar weiteren Wochen - die Zwiebelchen schauten schon ins Licht - wurde abermals eine Sitzung anberaumt. Zugegen waren dieselben Herren wie bei der ersten, es wurde auch das gleiche gegessen. Und nach einigen Einleitungsworten ließ sich der erwähnte Piepereit folgendermaßen vernehmen: »Es ist uns«, sagte er, »eine Ehre, Gastfreundschaft zu üben gegenüber einem Mann wie Hamilkar Schaß, dem Gesandten aus Suleyken. Und mit ihm ist es sogar eine besondere Ehre, denn er ist in mancher Lektüre bewandert, er kann Worte finden, die kaum ein anderer findet, und schließlich ist bekannt und geschätzt

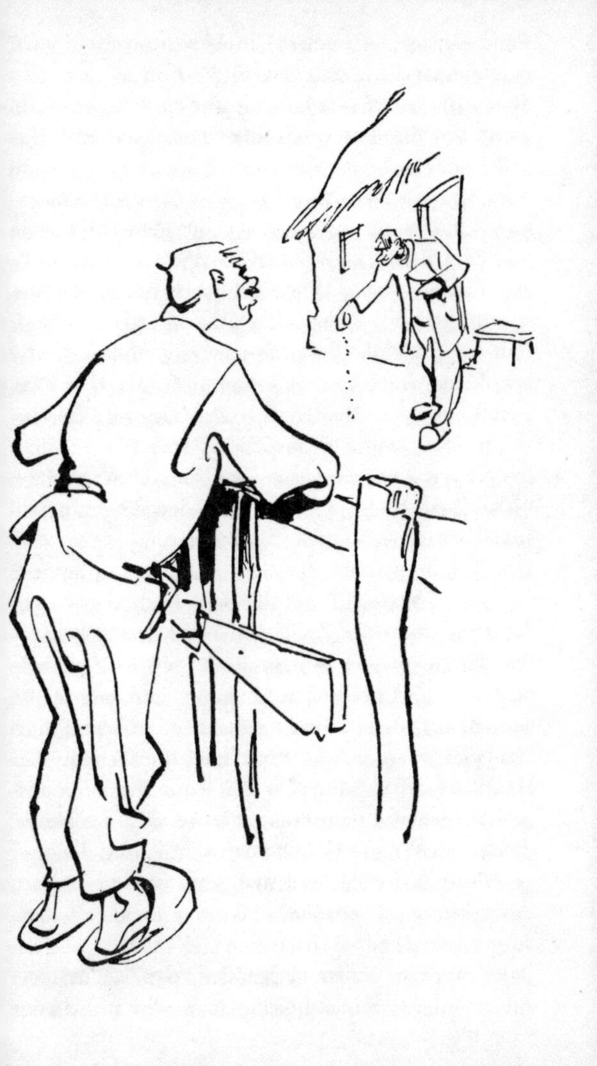

seine Einsicht. An seiner Einsicht zu zweifeln wird sich niemand unterstehen, und schon gar nicht in dem Fall, wo es sich handelt um die Poggenwiese. Denn seit die Ritterchen hier waren, seit anno Jagello oder so, hat, wie jeder Einsichtige zugeben wird, die Poggenwiese immer gehört zu Schissomir. Und wenn auch nie viel hergemacht wurde von dem Besitz, es war unsere Wiese und ist, hol's der Teufel, unsere Wiese geblieben mit allem, was darauf herumstolziert oder zu schnattern beliebt. Nur ein Ungebildeter könnte hier zweifeln.«

Na, kaum war ihm das entschlüpft, als Hamilkar Schaß, mein Großvater, aufstand, sich höflich verneigte und sprach: »Eigentlich«, sprach er, »müßten die Zwiebelchen schon ziemlich weit sein. Habe sie tatsächlich ein paar Tage aus den Augen gelassen. Aber das kann man ja nachholen.«

Und schon war er draußen, wackelte zu seinem Gärtchen, setzte sich auf die Bank und beobachtete das Wachstum der Zwiebeln. Unterdessen flanierten die Leute von Schissomir an seinen Zwiebelbeeten vorbei, musterten den eingehend, der da auf dem Bänkchen saß, und verfielen in schwermütige Grübeleien, als sie das zuversichtliche Gesicht von Hamilkar Schaß sahen. Sorge regte sich hier und da - Sorge, weil man erkannt hatte, daß das Häuschen, in dem mein Großvater wohnte, und die ausgewählte Nahrung, die man ihm stellen mußte, immerhin etwas kostete, und zwar mehr, als man ursprünglich gedacht hatte.

Jeder wird es ihnen nachfühlen, daß sie deshalb auf eine dritte Sitzung drangen, welche in liebenswürdiger Weise verlief. Es gab gebratene Ente, es gab Rotwein und Fladen, und hinterher gab man Hamilkar Schaß, meinem Großvater, in versteckter, ja fast vorsichtiger Weise zu bedenken, daß die Poggenwiese von altersher Schissomir gehöre. Er allein wäre imstande, das einzusehen. Worauf Hamilkar Schaß nur sagte: »Die Zwiebelchen«, sagte er, »sind jetzt soweit. Ich könnte eigentlich gleich anfangen mit dem Ernten.« Worauf er sich höflich verabschiedete und zu seinen Beeten zurückkehrte.

Hat man schon gemerkt, wohin das Ende steuert? Aber ich möchte es trotzdem noch erzählen. Der Herbst ging vorüber, der Winter kam und empfahl sich, schon stand - grüßend, wie man sagt - das Frühjahr vor Schissomir: und immer noch brachten die Sitzungen keine Entscheidung. Jener Piepereit, von der Ungeduld seiner Auftraggeber angesteckt, bot eines Tages ganz überraschend an, die Poggenwiese vielleicht zu teilen - so weit war man schon in Schissomir. Aber Hamilkar Schaß, er verfügte sich sanft und freundlich in sein Gärtchen und zog Zwiebeln zur Beflügelung seines Geistes.

Aber schließlich passierte es dann: im frühen Frühjahr; bevor ein anderer daran dachte, fand sich mein Großväterchen im Garten ein, um seine Zwiebelchen für den nächsten Herbst zu bauen. Arbeitete so ganz treuherzig und unschuldig vor sich hin, als Edmund Piepereit unverhofft auftauchte und, mit einigermaßen schreckerfülltem Gesicht, bemerkte: »Du gibst dir, Hamilkar Schaß, wie man sieht, viel Mühe beim Säen von Zwie-

beln.« Was meinen Großvater veranlaßte zu antworten: »Das ist nur, Edmund Piepereit, damit ich im nächsten Herbst eine gute Ernte habe.«
Dieser Piepereit, er zitterte vor diesem Gedanken derart, daß er sich ohne Gruß umwandte, jene aufsuchte, die einer Meinung mit ihm gewesen waren, und ihnen auseinandersetzte, was ihn beschäftigte. Und so kam es, daß sich Schissomir bereitfand, Suleyken die Poggenwiese zuzuerkennen für den Fall, daß Hamilkar Schaß, mein Großvater, auf die Zwiebelchen verzichtete. Was er auch tat.
Muß ich erzählen, welch ein Empfang ihm zuteil wurde, als er nach Suleyken zurückkehrte? Nur soviel möchte ich noch verlauten lassen, daß, auf allgemeinen Beschluß, der Poggenwiese ihr Name genommen und nach langer Gedankenarbeit geändert wurde in Hamilkars Aue - zur Erinnerung an den Sieg in der großen Konferenz von Schissomir.

DIE ACHTZEHNTE
DER MASURISCHEN GESCHICHTEN

Eine Liebesgeschichte

Joseph Waldemar Gritzan, ein großer, schweigsamer Holzfäller, wurde heimgesucht von der Liebe. Und zwar hatte er nicht bloß so ein mageres Pfeilchen im Rücken sitzen, sondern, gleichsam seiner Branche angemessen, eine ausgewachsene Rundaxt. Empfangen hatte er diese Axt in dem Augenblick, als er Katharina Knack, ein ausnehmend gesundes, rosiges Mädchen, beim Spülen der Wäsche zu Gesicht bekam. Sie hatte auf ihren ansehnlichen Knien am Flüßchen gelegen, den Körper gebeugt, ein paar Härchen im roten Gesicht, während ihre beträchtlichen Arme herrlich mit der Wäsche hantierten. In diesem Augenblick, wie gesagt, ging Joseph Gritzan vorbei, und ehe er sich's versah, hatte er auch schon die Wunde im Rücken.
Demgemäß ging er nicht in den Wald, sondern fand sich, etwa um fünf Uhr morgens, beim Pfarrer von Suleyken ein, trommelte den Mann Gottes aus seinem Bett und sagte: »Mir ist es«, sagte er, »Herr Pastor, in den Sinn gekommen zu heiraten. Deshalb möchte ich bitten um einen Taufschein.«
Der Pastor, aus mildem Traum geschreckt, besah sich den Joseph Gritzan ziemlich ungnädig und sagte: »Mein Sohn, wenn dich die Liebe schon nicht schlafen läßt, dann nimm zumindest Rücksicht auf andere Menschen. Komm später wieder,

nach dem Frühstück. Aber wenn du Zeit hast, kannst du mir ein bißchen den Garten umgraben. Der Spaten steht im Stall.«

Der Holzfäller sah einmal rasch zum Stall hinüber und sprach: »Wenn der Garten umgegraben ist, darf ich dann bitten um den Taufschein?«

»Es wird alles genehmigt wie eh und je«, sagte der Pfarrer und empfahl sich.

Joseph Gritzan, beglückt über solche Auskunft, begann dergestalt den Spaten zu gebrauchen, daß der Garten schon nach kurzer Zeit umgegraben war. Dann zog er, nach Rücksprache mit dem Pfarrer, den Schweinen Drahtringe durch die Nasen, melkte eine Kuh, erntete zwei Johannisbeerbüsche ab, schlachtete eine Gans und hackte einen Berg Brennholz.

Als er sich gerade daranmachte, den Schuppen auszubessern, rief der Pfarrer ihn zu sich, füllte den Taufschein aus und übergab ihn mit sanften Ermahnungen Joseph Waldemar Gritzan. Na, der faltete das Dokument mit umständlicher Sorgfalt zusammen, wickelte es in eine Seite des Masuren-Kalenders und verwahrte es irgendwo in der weitläufigen Gegend seiner Brust. Bedankte sich natürlich, wie man erwartet hat, und machte sich auf zu der Stelle am Flüßchen, wo die liebliche Axt Amors ihn getroffen hatte.

Katharina Knack, sie wußte noch nichts von seinem Zustand, und ebensowenig wußte sie, was alles er bereits in die heimlichen Wege geleitet hatte. Sie kniete singend am Flüßchen, walkte und knetete die Wäsche und erlaubte sich in kurzen

Pausen, ihr gesundes Gesicht zu betrachten, was im Flüßchen möglich war.
Joseph umfing die rosige Gestalt - mit den Blikken, versteht sich -, rang ziemlich nach Luft, schluckte und würgte ein Weilchen, und nachdem er sich ausgeschluckt hatte, ging er an die Klattkä, das ist: ein Steg, heran. Er hatte sich heftig und lange überlegt, welche Worte er sprechen sollte, und als er jetzt neben ihr stand, sprach er so: »Rutsch zur Seite.«
Das war, ohne Zweifel, ein unmißverständlicher Satz. Katharina machte ihm denn auch schnell Platz auf der Klattkä, und er setzte sich, ohne ein weiteres Wort, neben sie. Sie saßen so - wie lange mag es gewesen sein? - ein halbes Stündchen vielleicht und schwiegen sich gehörig aneinander heran. Sie betrachteten das Flüßchen, das jenseitige Waldufer, sahen zu, wie kleine Gringel in den Grund stießen und kleine Schlammwolken emporrissen, und zuweilen verfolgten sie auch das Treiben der Enten. Plötzlich aber sprach Joseph Gritzan: »Bald sind die Erdbeeren soweit. Und schon gar nicht zu reden von den Blaubeeren im Wald.« Das Mädchen, unvorbereitet auf seine Rede, schrak zusammen und antwortete: »Ja.«
So, und jetzt saßen sie stumm wie Hühner nebeneinander, äugten über die Wiese, äugten zum Wald hinüber, guckten manchmal auch in die Sonne oder kratzten sich am Fuß oder am Hals.
Dann, nach angemessener Weile, erfolgte wieder etwas Ungewöhnliches: Joseph Gritzan langte in die Tasche, zog etwas Eingewickeltes heraus und

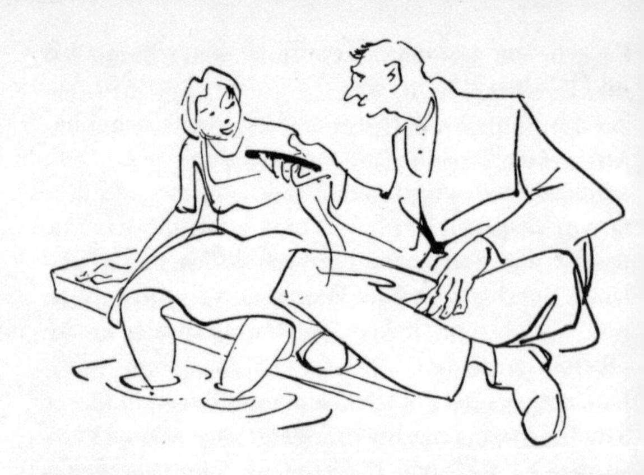

sprach zu dem Mädchen Katharina Knack: »Willst«, sprach er, »Lakritz?«
Sie nickte, und der Holzfäller wickelte zwei Lakritzstangen aus, gab ihr eine und sah zu, wie sie aß und lutschte. Es schien ihr gut zu schmecken. Sie wurde übermütig - wenn auch nicht so, daß sie zu reden begonnen hätte -, ließ ihre Beine ins Wasser baumeln, machte kleine Wellen und sah hin und wieder in sein Gesicht. Er zog sich nicht die Schuhe aus.
Soweit nahm alles einen ordnungsgemäßen Verlauf. Aber auf einmal - wie es zu gehen pflegt in solchen Lagen - rief die alte Guschke, trat vors Häuschen und rief: »Katinka, wo bleibt die Wäsch'!«
Worauf das Mädchen verdattert aufsprang, den Eimer anfaßte und mir nichts dir nichts, als ob die Lakritzstange gar nicht gewesen wäre, verschwinden wollte. Doch, Gott sei Dank, hatte Joseph

Gritzan das weitläufige Gelände seiner Brust bereits durchforscht, hatte auch schon den Taufschein zur Hand, packte ihn sorgsam aus und winkte das Mädchen noch einmal zu sich heran.
»Kannst«, sprach er, »lesen?«
Sie nickte hastig.
Er reichte ihr den Taufschein und erhob sich. Er beobachtete, während sie las, ihr Gesicht und zitterte am ganzen Körper.
»Katinka!« schrie die alte Guschke, »Katinka, haben die Enten die Wäsch' gefressen?!«
»Lies zu Ende«, sagte der Holzfäller drohend. Er versperrte ihr, weiß Gott, schon den Weg, dieser Mensch.
Katharina Knack vertiefte sich immer mehr in den Taufschein, vergaß Welt und Wäsche und stand da, sagen wir mal: wie ein träumendes Kälbchen, so stand sie da.
»Die Wäsch', die Wäsch'« keifte die alte Guschka von neuem.
»Lies zu Ende«, drohte Joseph Gritzan, und er war so erregt, daß er sich nicht einmal wunderte über seine Geschwätzigkeit.
Plötzlich schoß die alte Guschke zwischen den Stachelbeeren hervor, ein geschwindes, üppiges Weib, schoß hervor und heran, trat ganz dicht neben Katharina Knack und rief: »Die Wäsch', Katinka!« Und mit einem tatarischen Blick auf den Holzfäller: »Hier geht vor die Wäsch', Cholera!«
O Wunder der Liebe, insbesondere der masurischen; das Mädchen, das träumende, rosige, hob seinen Kopf, zeigte der alten Guschke den Tauf-

schein und sprach: »Es ist«, sprach es, »besiegelt und beschlossen. Was für ein schöner Taufschein. Ich werde heiraten.« Die alte Guschke, sie war zuerst wie vor den Kopf getreten, aber dann lachte sie und sprach: »Nein, nein«, sprach sie, »was die Wäsch' alles mit sich bringt. Beim Einweichen haben wir noch nichts gewußt. Und beim Plätten ist es schon soweit.«
Währenddessen hatte Joseph Gritzan wiederum etwas aus seiner Tasche gezogen, hielt es dem Mädchen hin und sagte: »Willst noch Lakritz?«

DIE NEUNZEHNTE
DER MASURISCHEN GESCHICHTEN

Die Schüssel der Prophezeiung

Die einen scheren sich überhaupt nicht um die Zukunft, die andern machen sich allerhand Gedanken und leiden. In Suleyken, das muß gesagt werden, litten manche unter dem, was die Zukunft so an sich hat: unter der Ungewißheit. Niemand aber litt in gleicher Weise wie der Gastwirt Ludwig Karnickel, ein neugieriger Mensch mit saubergekämmtem Haarkranz und ziellos irrenden Blicken. Also ging er, auf Empfehlung meines Onkels, kurz vor dem Schützenfest zu einem lederhäutigen Weibchen namens Elsbeth Zwiebulla, die berühmt war wegen ihrer Prophezeiungen. Ging hinüber in ihr Häuschen am Fluß, weckte die Dame aus rasselndem Schlummer und ließ sich ungefähr so hören: »Ich wünsche, Elsbeth Zwiebulla, zunächst frohes Erwachen. Was mich hertreibt, es ist die Ungewißheit vor dem Schützenfest. Dies Fest ist anberaumt, aber niemand weiß, wie alles kommen wird. Der Stanislaw Griegull, er hat mich hergeschickt. Meint, man könnte vielleicht riskieren einen Blick in jenes Schüsselchen, in welchem zu sehen ist Vergangenes und Zukünftiges. Unter anderem also auch, was zu erwarten ist von dem Schützenfest. Für den Fall, daß einiges zum Vorschein kommt, wäre ich bereit zu geben ein halbes Fläschchen Weißen.«

Das Weibchen krächzte anfangs ein wenig über den gestörten Schlaf, aber dann schlurfte es wortlos zu einem riesigen Pappkarton, der ihr als Schrank diente, öffnete diesen Karton und kramte hervor eine braune, zerbeulte Emailleschüssel.

»So«, sagte sie, »damit haben wir den Anfang. Und nun, Ludwig Karnickel, muß ich Sie bitten, in das Gärtchen zu springen und folgendes abzuschneiden: zwei Kirschzweige, einen Zweig vom Kruschkenbaum, ein paar Endchen vom Stachelbeerbusch und, sagen wir mal, einige Gräserchen aus einem Vogelnest. Aber diese nur, wenn sie gerade zu finden sind. Ich werde Wasser warm machen.«

Während nun die Elsbeth Zwiebulla Wasser aufsetzte, sprang Ludwig Karnickel in den Garten, um das Gewünschte zu beschaffen, und als er zurückkam, dampfte das Wasser in der Schüssel.

»Man wird«, sagte die Alte, »gleich Näheres erkennen.«

»Wenn ich bitten darf, speziell vom Schützenfest«, sagte Ludwig Karnickel.

Na, jetzt nahm das Weibchen ein Messer, schnitt die Zweige und Gräserchen kaputt und warf alles in die Schüssel. Dann begann sie ausgiebig zu rühren und sah sich um.

»Fehlt noch was?« fragte Ludwig Karnickel.

Elsbeth Zwiebulla antwortete nicht, sondern nahm einen Fingerhut, der da herumlag, und warf ihn ins Wasser; weiter schmiß sie einen Knopf hinterher, eine Schere, und, nach abermaligem Umsehen, ein Stück Seife, Haarnadeln, Papierschnitzel, zwei

Kartoffeln, einen Tannenzapfen und zum Schluß sogar noch ein Stückchen Leberwurst, das sie auf dem Fensterbrett entdeckt hatte. Sie begann wieder sorgfältig zu rühren, als Ludwig Karnickel sagte: »Ich habe«, sagte er, »noch ein Kämmchen da und eine alte Photographie. Vielleicht sollte man auch sie hineingeben.«
»Nur die Photographie«, sagte das lederhäutige Weibchen. »Dann können wir alles betrachten als ausreichend.«
Sofort warf Ludwig Karnickel die Photographie hinein, sah zu, wie die Alte rührte, und wartete voller Unruhe. Er sah, daß einiges schwamm und anderes unterging, und das schien ihm schon jetzt bedeutungsvoll. Worte sammelten sich in einem fort auf seiner Zunge, so daß er Mühe hatte, diese am Heraustreten zu hindern. Er begann schon hin- und herzurutschen auf seinem Stühlchen, als die Elsbeth Zwiebulla sich über das Schüsselchen neigte und angestrengt hineinspähte. Äugte so ein Viertelstündchen hinein, stupste zuweilen ein Zweiglein an, das schwamm, oder berührte etwas auf dem Schüsselgrund.
Ludwig Karnickel, er konnte sich nicht mehr halten, stürzte zum Tisch und fragte: »Was«, fragte er, »wird sich begeben zum Schützenfest? Sage mir, Elsbeth Zwiebulla, deine Prophezeiung.« Das Weibchen spähte noch einen Augenblick und sprach dann: »Was zum Vorschein kommt, ist nichts Besonderes. Da ist ein kleiner Mensch auf dem Schützenfest. Vielleicht schießt man ihm durch die Schulter, vielleicht auch nicht. Die Schüt-

zen, sie werden zu gegebener Zeit hineinströmen in dein Gasthaus. Sie werden essen, sie werden trinken. Und hinterher wird es geben eine Prügelei. Kann sein, daß sie einem die Fresse demolieren. Eine erhebliche Menge Glas wird zerschlagen auf einem gewissen Schützenschädel.« Sie machte eine Pause, zog die Leberwurst aus dem Wasser, roch daran und trug sie zum Fensterbrett zurück. Dann nahm sie wieder Platz und spähte in die berühmte Schüssel der Prophezeiung. »Wird es«, fragte Ludwig Karnickel, »sonst noch etwas geben?«

»Es wird«, sagte das Weibchen, »ganz bestimmt. Beispielsweise werden sich so ein paar von den besoffenen Schützen auf den Spargelbeeten im Gärtchen ausbreiten zum Schlafen. Vielleicht wird man sie darauf in die Dunggrube schmeißen, vielleicht auch woandershin. Auch könnte es sein, daß ein Frauchen ins Wasser fliegt. Und damit sind wir am Ende. Haben Sie, Ludwig Karnickel, das Fläschchen mitgebracht? Wenn nicht, könnte ich es mir holen.«

Ludwig Karnickel: er zog mit abwesendem Geiste ein halbes Fläschchen aus seiner Rocktasche, reichte es über den Tisch hinüber und wankte zur Tür. Alles in ihm war Nachdenklichkeit in Richtung auf das Kommende. Seine Stirn war verdüstert, sein Herz umwölkt. Er ging nach Hause, sprach mit keinem - nicht einmal mit meinem Onkelchen Stanislaw Griegull -, suchte sich nur einzurichten auf die prophezeiten Umstände des Schützenfestes. Das ging so Tage und Wochen, bis zu der Zeit, da fällig war das Suleyker Schützenfest.

Zuerst wollte Ludwig Karnickel überhaupt nicht aufstehen an diesem Tage, aber plötzlich beflog ihn doch die Neugierde, trieb ihn hinaus, denn es galt zu erleben das Prophezeite. Schnappte sich deshalb, der Ludwig Karnickel, seine Flinte und marschierte hinaus mit den Schützen zur Feuerwehrwiese, wo instandgesetzt waren Deckung, Schießstand und was sonst noch gehört zur Erquickung eines Schützen.

So, und wer jetzt nicht glauben will, was passierte, soll sich lieber die Füße brühen, aber nicht weiterlesen. Also: während die Schützen vergnügt drauflosballern, wer hüpft da zu aller Überraschung auf die Deckung hinauf? Der Schuster Karl Kuckuck. Prompt fällt ein Schuß - ausgerechnet aus der Flinte des Ludwig Karnickel - und wendet sich gegen die zarte Schulter des Schusters. Trifft sie auch, bleibt aber, Gott sei Dank, stecken in den verschiedenen Hemden, Jacken, Wickelbändern und Kaninchenfellen, die Karl Kuckuck zum Halten der Leibwärme an sich trug. Es gab eine fliegende Aufregung, Fragen über Fragen wurden gestellt, und es dauerte ein beträchtliches Weilchen, ehe die Schützen fortfahren konnten in erquickendem Wettbewerb. Damit begann es.

Und jetzt wurde so lange geschossen, bis ein einäugiger Jäger, dessen Namen mir entfallen ist, Schützenkönig wurde. Da blies man ab den Wettbewerb und strömte hinein in Ludwig Karnickels Gasthaus. Man aß und trank, wie prophezeit, doch unter Essen und Trinken tat sich eine sogenannte Maulhure hervor, ein großsprecherischer Mensch

namens Friedrich Armbrust, der sich, obwohl e
nur zwölfter war, als den rechtmäßigen Schützen
könig betrachtete, da er, wie er immer wieder be
hauptete, geschossen hätte mit feuchter Munition
Er prahlte so lange herum, bis Ludwig Karnicke
auf ihn zuging und ihn, im Interesse andere
Ohren, höflich ermahnte zu besonnener Rede.
Was soll ich sagen, dieser Armbrust fragte nich
erst lange, sondern fing gleich an, sich mit Ludwi
Karnickel zu prügeln - worauf dieser dem Groß
sprecher das demolierte, wodurch er aufgefalle
war: die Fresse. Aber kaum war das geschehen
und kaum war auch diese Prophezeiung eingetrof
fen, als sich so ein Freund der Maulhure bemerk
bar machte. Machte sich derart bräsig, daß ihn
jemand ein Bierglas, gar nicht so sanft, auf de
Schützenschädel knallte. Bei dieser Gelegenhei
zerbrach das Bierglas, desgleichen eine Reihe ande
rer Gläser, die plötzlich lebendig wurden und wi
Sperlinge durch den Raum flogen.
Als dann wieder der Friede einkehrte bei Ludwi
Karnickel, machten sich hier und da Stimmen be
merkbar, welche um Versöhnung warben. Dies
Werbung hatte Erfolg, und man trank zur Ver
söhnung so viel, daß einige Schützen, von Müdig
keit befallen, nach Hause aufbrachen, um sich
schlafen zu legen. Hielten indes die Spargelbeet
des Ludwig Karnickel für Matratzen und schlum
merten ein. Als Ludwig Karnickel, um die Pro
phezeiung zu kontrollieren, ins Gärtchen trat
zählte er mehr als zweiundzwanzig Schützen, di
seine Schlafgäste waren. Da die Spargelchen sich

gerade hervortrauen wollten ins Licht, waren die Schützen nicht gerade erwünscht auf den Beeten. Ludwig Karnickel ging so lange mit sich zu Rate, bis er es für das Beste hielt, diese Frage zu lösen im Sinne der Prophezeiung: er schleppte die schlafenden Schützen auf eine Schubkarre und warf sie im Schweiße seines Angesichts in die Dunggrube. Sodann eilte er zurück zu seinen letzten Gästen, die sich, unter dem Vorwand seiner Abwesenheit, eingeschenkt hatten, wonach sie gerade dürsteten. Einer von ihnen hatte es so schlimm getrieben, daß sich Ludwig Karnickel, in ordnungsgemäßem Zorn, auf ihn stürzen wollte, doch der - es war

wohl der alte Glumskopp - rannte gleich schreiend hinaus. Sein Verfolger, er war wütend genug, um ihm nachzurennen in die Dunkelheit. Er jagte ihn zum Flüßchen hinab, wo er ihn, gewissermaßen mit schmerzhafter Plötzlichkeit, aus den Augen verlor.

Gut. Nun machte sich Ludwig Karnickel ans Suchen, während seine letzten Gäste sich eingossen, wonach es sie gerade dürstete. Suchte, schrie und schimpfte so lange, bis er auf einmal eine Gestalt am Flüßchen erkannte. Er tat, na, was wird er getan haben, er schoß auf die Gestalt zu, nahm sie und schmiß sie ins Wasser. Aber er sprang, hol's der Teufel, gleich hinterher, denn die Gestalt, die da ins Wasser geflogen war, es war niemand anders als das Weibchen Elsbeth Zwiebulla, das wegen des Schreiens und Schimpfens nicht hatte schlummern können und gekommen war, sich zu beschweren.

Ludwig Karnickel schleppte das Weiblein nach Hause und versprach ihr, zum Schluß, noch etwas von dem Weißen.

Sodann ging er zufrieden zurück.

Später wollte mein Onkelchen, Stanislaw Griegull, wissen, wie es sich denn verhalten habe mit der Prophezeiung. Und er fragte: »Ist denn, Ludwig Karnickel, auch alles eingetroffen?« Worauf Ludwig Karnickel antwortete: »Es ist, Stanislaw Griegull, alles gekommen wie prophezeit. Nur manchmal, Gevatterchen, hat es gekostet ein wenig Mühe, alles richtig zu machen.«

DIE ZWANZIGSTE
DER MASURISCHEN GESCHICHTEN

Die Verfolgungsjagd

In unseren Wäldern beliebte ein Hirsch zu wechseln, der so über die Maßen stattlich war, daß man ihn pani pronz nannte, was etwa heißt: Herr Stolz. Er hatte beiläufig achtundzwanzig Enden, dieser pani pronz, verfügte über eine legendäre Kraft, welche in seinen Lenden sitzen sollte, und war alles in allem Zierde und Reichtum der Suleyker Wälder. Sehen ließ er sich selten, aber wenn ihn mal einer zu Gesicht bekam, am Waldesrand vielleicht oder auf der Wiese, dann konnte er nichts anderes empfinden als Stolz und Hochachtung vor diesem erstaunlichen Geweihträger. Da er alle möglichen Verehrungen genoß, gedieh er vorzüglich und hatte bald die Größe eines der intelligenten Suleyker Schimmel erreicht; in der Dämmerung röhrte er gelegentlich zum Dorf hinüber, stellte sich, je nach Möglichkeit, vor irgend so ein Abendrot, wechselte auch manchmal bedächtig über die Landstraße - wo immer er sich zeigte: seine Auftritte waren Tagesgespräch.

Wie, bitte schön, sollte man es einrichten, daß derlei rühmende Tagesgespräche auf unser Dorf beschränkt blieben? Das war nachgerade unmöglich und liegt wohl auch allgemein nicht in den Interessen des Ruhms, dem es ja vor allem darauf ankommt, sich zu verbreiten. Also drang der Ruhm von pani Stolz, dem Hirsch, eines Tages bis nach Striegeldorf vor, reiste von dort per Bahn weiter und gelangte zu den Ohren eines gewissen Kneck auf Knecken, eines hochmögenden Menschen und leidenschaftlichen Jägers dazu. Ließ also gleich, jener Kneck auf Knecken, seinen Drilling ölen, verhandelte um die Erlaubnis, die er auch rasch erhielt, und machte sich zu gegebener Zeit auf, um die Zierde Suleykens, wenigstens seine achtundzwanzig Enden, heimzubringen in das Knecksche Herrenzimmer.

Zu diesem Zwecke wurde bestellt und in die Wege geleitet eine sogenannte Schweißjagd, bei welcher Herr Stolz zunächst nur angeschossen werden, dann fliehen sollte, um auf seiner Flucht verfolgt und letztlich mit dem Hirschfänger aus dem röhrenden Leben gebracht zu werden. Demgemäß mietete sich jener Kneck auf Knecken Treiber, Hundeführer und Wegkundige und setzte die Stunde der Jagd fest.

Suleyken war nie zuvor so niedergeschmettert wie damals, als es sich der Gefahr ausgesetzt fand, des Ruhmes und wandelnden Denkmals seiner Wälder beraubt zu werden. Wohin man blickte, mit wem man auch sprach: überall herrschten Trauer, Schwermut und schmerzendes Mitgefühl, und wo sich noch Leben ereignete, da ereignete es sich gedämpft. Die Dämmerung, stellte man sich vor, würde leer sein ohne sein gelegentliches Röhren, das Abendrot nichtssagend ohne seine Silhouette, die Landstraße verödet ohne sein bedächtiges Herüberwechseln. Und während man sich das vorstellte, reifte der Widerstand, und mit diesem Widerstand einer der großen Suleyker Gedanken, vor denen sich zu beugen, schwerlich jemand umhin kann.

Dieser Gedanke, er reifte unter dem saubergekämmten Haarkranz des Gastwirts Ludwig Karnickel, der offenbar aus Gründen seines Namens besonders unter dem Schicksal litt, das der Hirsch ausersehen war zu nehmen. Er grämte sich und grübelte so lange, bis er dieses Gedankens habhaft wurde, und als er ihn fest hatte, rief er einige Suleyker Herren unter seinem Apfelbaum zusammen und sprach zu ihnen: »Uns soll«, sprach er, »genommen werden der Stolz unserer Wälder, pani pronz. Wer ist damit einverstanden?«

Er blickte den treuherzigen Kreis der Gesichter entlang, schneuzte sich und stellte fest: »Keiner ist einverstanden. Gut. Also werden wir etwas unternehmen. Ich schlage vor, daß wir täuschen den Jäger Kneck auf Knecken. Ich habe, weiß Gott, noch eine Kuhhaut im Keller, hab' sie schon braungefärbt, und ein entsprechendes Geweih läßt sich herstellen aus biegsamem Astwerk. Auch das ist bereits getan. So. Und nun schlage ich vor, daß zwei von uns schlüpfen in jene Kuhhaut und vor den Augen des Jägers erscheinen als Hirsch. Ohnehin wird ja alles stattfinden in der Dämmerung.«

Er unterbrach sich, eine Pause trat ein, man spürte intensive Grübelarbeit, und plötzlich ließ sich einer der Männer, Adolf Albromeit, so vernehmen: »Ich bin dabei. Nur, wie soll man sich verhalten, wenn man erhält eins aufgebrannt?«

Beifälliges Nicken begleitete diesen Einwand.
»Dafür«, sprach Ludwig Karnickel, »müssen jene Sorge tragen, die den Jäger begleiten. Sie müssen ihn im Augenblick des Schusses einfach ablenken. Vielleicht durch Husten, Hinfallen, oder auch, indem man den Zielenden an der Schulter zupft. Vielleicht übernimmst du das, Edmund Vortz?«
Der Schneider nickte. »Gut: in die Haut werden folglich steigen Adolf Abromeit und ich. Gott segne unsern Hirsch.«
Nach diesen Worten übermannte Rührung die Herren, sie schüttelten einander stumm die Hände und verabschiedeten sich. Verabschiedeten sich bis zu der Stunde, zu welcher der Hirsch zu erscheinen und zu sterben hatte. Und dann ging es wie folgt:
Der Schneider Edmund Vortz suchte die Nähe des Jägers, stellte sich vor als der Wald- und Wegkundige und wurde aufgefordert, die Führung zu übernehmen. Übernahm sie auch in der Weise, daß er jenen Kneck auf Knecken, einen dicken Menschen mit Backenbart, an eine Lichtung heranführte, auf welcher der Hirsch, nach des Schneiders Worten, nachzudenken pflegte. Und wie es sich fügte: nach einem Weilchen kam der Hirsch auch prompt hervor, blickte einmal zu seinem Hinterteil, kratzte sich mit einem Huf und schaukelte wie eine Ziehharmonika unter eine Tanne.
Dem Kneck auf Knecken entfuhr es: »Donnerwetter«, entfuhr es ihm, »ein elastischer Achtundzwanziger. Schwer zu treffen hinter der Tanne.«
»Das ist sein Lieblingsaufenthalt«, flüsterte der

Schneider. Der backenbärtige Jäger ließ sich das Glas reichen, schaute hindurch, wollte es anscheinend gar nicht mehr absetzen vor Verwunderung und Leidenschaft. Aber endlich keuchte er:
»Seltsam. Seltsam. Seltsam. Kräftig wie eine Kuh sieht er aus.«
»Zuweilen«, flüsterte der Schneider, »beliebt er sich auch aufzuhalten unter den Kühen. Immer allein im Wald, da treibt es ihn schon mitunter hinaus.«
»Pscht«, machte Kneck auf Knecken, »wir könnten ihn vertreiben. Möchte nur wissen, warum sein Hinterteil so unruhig ist.«
»Vielleicht fühlt er sich unwohl«, sagte der Schneider.
In diesem Augenblick ergriff der Jäger die Büchse, hob sie langsam und zielte. Edmund Vortz beobachtete mit völliger Atemlosigkeit den Zeigefinger, wie er sich krümmte und zog, und plötzlich knapp vor dem Schuß, stolperte er gegen den Jäger, was bewirkte, daß der Lauf in letzter Sekunde geschwenkt wurde, fast schon mitten im Schuß.
»Teufel«, schimpfte der Jäger, aber seine Augen waren vorn, und was seine Augen zu sehen bekamen, es war eine Absonderlichkeit, wie es ihm in einundvierzig Waidmannsjahren nicht unterlaufen war: der Hirsch, er sprang nach dem Schuß an erwähnter Tanne empor, kletterte mit seltsamer Geläufigkeit auf einen unteren Ast, während sein Hinterteil, zitternd und zerrend, auf der Erde blieb.
»Getroffen«, stöhnte der Schneider.

»Nanu«, entfuhr es dem Jäger, als das Hinterteil des Hirsches so zerrte, daß das Vorderteil vom Ast herabfiel.

»Es hat ihn erwischt«, rief Kneck auf Knecken, »man mache los die Hunde!« Sofort wurde die Meute befreit, und sie stürzte, heulend und bellend, in die Richtung davon, in welche sich der seltsame Hirsch schaukelnd fortbewegte. Er bewegte sich so gemütlich fort, daß der Jäger stehenblieb, sein Glas ansetzte und nach kurzer Beobachtung sprach: »Dieser Hirsch geht wie ein Matrose.«

»Er soll auch«, beeilte sich der Schneider zu versichern, »bereits mehrmals über den Fluß geschwommen sein. Man hat ihn verschiedentlich dabei gesehen.«

»Seltsam«, brummte der Jäger, »ich kann nichts sagen als seltsam.«

Dem Gekläff der Meute und damit dem Hirsch pani pronz folgend, brachen die jagenden Herren durch das Gehölz, blieben gelegentlich stehen, lauschten, vergewisserten sich, suchten auch den Waldboden ab, um etwaige Schweißspuren des Hirsches zu finden. Sie folgten ihm so etliche Kilometerchen, als sie unversehens und gebannt von dem Bild, das sich ihnen bot, stehenblieben: der sonderbare Hirsch, er stand auf einer stillen Waldwiese und fuhr der Meute, die ihn schweigend umlagerte, zärtlich über das Fell. Der Anblick war durchaus friedlich und versöhnlich.

Kneck auf Knecken entfuhr es abermals: »Kann ich«, entfuhr es ihm, »meinen Augen trauen?«

»Gewiß«, sagte der Schneider, »wahrscheinlich
spricht sich der Hirsch gerade aus mit den Hun-
den.«
»Das beste«, sprach der Backenbart, »wird sein,
ich brenn' ihm eins auf. Sonst geht sie noch durch
mit mir, meine Leidenschaft. Gib mir das Ge-
wehr.«
Er nahm den Drilling, zielte sorgfältig und drückte
in dem Augenblick ab, als der Schneider Edmund
Vortz lauthals zu husten begann. Das Hinterteil
des Hirsches flog empor, ein Schmerzensschrei erklang, ein Fluch, ausgestoßen aus rätselhafter
Hirschbrust, dann setzte sich das Tier, nach an-
fänglicher Unschlüssigkeit, welche Richtung zu
nehmen sei, in Bewegung. Lief in befremdlichen
Zickzacksprüngen davon, schlug Haken und flüchte
in einem fort.
»Los«, kommandierte der Jäger Kneck auf Knekken, »ihm nach!« Und sie rannten über die idyl-
lische Waldwiese, den Drilling in der Hand, in
der anderen den blitzenden Hirschfänger. Und
weiß der Teufel, plötzlich stolperte der Hirsch,
blieb liegen und verlor, ehe er wieder hochkam,
mächtig an Vorsprung. Der Backenbart stieß einen
Jubelruf aus und die Leidenschaft trug ihn noch
näher: schon konnte er den Hirsch eigenartige
Laute des Keuchens ausstoßen hören.
So. Und nun geschah etwas, was niemand in Suleyken je vergessen wird: der Hirsch, in seiner Not,
lief unerwartet auf ein erleuchtetes Häuschen zu,
öffnete die Tür und war in der nächsten Sekunde
verschwunden.

Bestürzt blieben die Verfolger stehen, zumal der berühmte Hirsch auch nicht vergessen hatte, die Tür von innen zu schließen. Aber nachdem die Bestürzung vorbei war, drang Kneck auf Knekken in das nächtliche Häuschen ein und rief dem ersten besten Menschen, der ihm begegnete, zu: »Wo ist der Hirsch?« Es war ein zahnloses, altes Herrchen, und es sprach: »Wo wird der Hirsch schon sein? Im Wald!«

»Ich habe«, sagte der Jäger unerbittlich, »den Hirsch eintreten sehen in dieses Häuschen. Demzufolge hat er hier zu sein.«

»Vielleicht ist er in der Küche«, sagte der Alte grinsend. »Hilft wohl beim Kohlschneiden. Wir stampfen nämlich gerade Kohl ein.«

Darauf durchstöberte Kneck auf Knecken mit seiner Begleitung das Häuschen; sie fanden die Frau des Alten in der Küche, sie fanden auch zwei Männer in der Küche, die beim Kohleinstampfen halfen: wen sie nicht fanden, es war der Hirsch pan pronz, der Stolz der Suleyker Wälder.
Der Backenbart ließ sich nicht abschrecken; er gab Anordnung, vor dem Häuschen ein Jagdzelt aufzuschlagen, kroch in dasselbe hinein und lauerte auf den Hirsch. Lauerte so den ganzen Herbst, hörte auf keinen Rat mehr, entließ die gemieteten Treiber und Führer, wurde allmählich zum Sonderling, dieser Jäger. Er behauptete steif und fest, daß er selbst gesehen habe, wie der Hirsch in das Häuschen floh, und darum wollte er so lange warten, bis er wieder herauskäme.
Na, die Zeit ging ins Land, der Kohl säuerte längst im Fäßchen, und dann kam der Tag, an dem Kneck auf Knecken derart vom Rheuma gepackt wurde, daß eine Kutsche erschien, um ihn heimzuholen. Sie rollten gemütlich an einer Wiese entlang, als der Kutscher plötzlich rief: »Da ist er, Herrchen, pani pronz.« Und wahrhaftig, mitten zwischen den Kühen äste friedlich ein stattlicher Hirsch, äugte einmal herüber und mampfte weiter. Kneck auf Knecken lugte aus der Kutsche, besah sich das Tier und sprach: »Hier kannst du, Abel Przyball, deinen Augen nicht trauen. Fahr zu.«

Diskrete Auskunft über Masuren

Im Süden Ostpreußens, zwischen Torfmooren und sandiger Öde, zwischen verborgenen Seen und Kiefernwäldern waren wir Masuren zu Hause - eine Mischung aus pruzzischen Elementen und polnischen, aus brandenburgischen, salzburgischen und russischen.

Meine Heimat lag sozusagen im Rücken der Geschichte; sie hat keine berühmten Physiker hervorgebracht, keine Rollschuhmeister oder Präsidenten; was hier vielmehr gefunden wurde, war das unscheinbare Gold der menschlichen Gesellschaft: Holzarbeiter und Bauern, Fischer, Deputatarbeiter, kleine Handwerker und Besenbinder. Gleichgültig und geduldig lebten sie ihre Tage, und wenn sie bei uns miteinander sprachen, so erzählten sie von uralten Neuigkeiten, von der Schafschur und vom Torfstechen, vom Vollmond und seinem Einfluß auf neue Kartoffeln, vom Borkenkäfer oder von der Liebe. Und doch besaßen sie etwas durchaus Originales - ein Psychiater nannte es einmal die »unterschwellige Intelligenz«. Das heißt: eine Intelligenz, die Außenstehenden rätselhaft erscheint, die auf erhabene Weise unbegreiflich ist und sich jeder Beurteilung nach landläufigen Maßstäben versagt. Und sie besaßen eine Seele, zu deren

Eigenarten blitzhafte Schläue gehörte und schwerfällige Tücke, tapsige Zärtlichkeit und eine rührende Geduld.

Die hier vorliegenden Geschichten und Skizzen sind gleichsam kleine Erkundungen der masurischen Seele. Sie stellen keinen schwermütigen Sehnsuchtsgesang dar, im Gegenteil: diese Geschichten sind zwinkernde Liebeserklärungen an mein Land, eine aufgeräumte Huldigung an die Leute von Masuren. Selbstverständlich enthalten sie kein verbindliches Urteil - es ist *mein* Masuren, *mein* Dorf Suleyken, das ich hier beschrieben habe.

Suleyken, wie es hier vorkommt, hat es natürlich nie und nirgendwo gegeben; es ist eine Erfindung, so wie die Geschichten auch zum größten Teil Erfindung sind. Aber ist es von Wichtigkeit, ob dieses Dörfchen bestand oder nicht? Ist es nicht viel entscheidender, daß es möglich gewesen wäre? Gewiß, das ist zugegeben, wird in diesen Geschichten ein wenig übertrieben - aber immerhin, es wird methodisch übertrieben. Und zwar in der Weise, daß das besonders Eigenartige hervorgehoben wird und das besonders Charakteristische zum Vorschein kommt. Insofern steht das bewährte Mittel der Übertreibung ganz im Dienst der Wahrheitsfindung. Aber das ist, alles in allem, auch von geringer Bedeutung, wenn wir uns nur einig wissen in unserer grübelnden Zärtlichkeit zu Suleyken.

S. L.